中國美術全集

中國美術全集

卷軸畫 二

全國百佳圖书出版單位
ARTTIME 時代出版
時代出版傳媒股份有限公司
黄山書社

目　　録

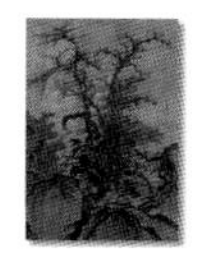

遼北宋西夏金南宋 (公元九一六年至公元一二七九年)

頁碼	名稱	時代	作者	來源	收藏地
312	萬壑松風圖	南宋	李唐		臺北故宮博物院
313	遠岫晴雲圖	南宋	米友仁		日本大阪市立美術館
314	瀟湘奇觀圖	南宋	米友仁		故宮博物院
316	雲山得意圖	南宋	米友仁		臺北故宮博物院
318	千里江山圖	南宋	江参		臺北故宮博物院
320	猿圖	南宋	毛松（傳）		日本東京國立博物館
321	秋山紅樹圖	南宋	蕭照		遼寧省博物館
322	山腰樓觀圖	南宋	蕭照		臺北故宮博物院
323	鶉鳥圖	南宋	李安忠		日本東京根津美術館
324	竹鳩圖	南宋	李安忠		臺北故宮博物院
324	嬰戲圖	南宋	蘇漢臣		天津博物館
325	秋庭嬰戲圖	南宋	蘇漢臣		臺北故宮博物院
327	四梅圖	南宋	揚無咎		故宮博物院
328	梅花圖	南宋	揚無咎		天津博物館
328	雪梅圖	南宋	揚無咎		故宮博物院
329	薇亭小憩圖	南宋	趙大亨		遼寧省博物館
330	漢宮圖	南宋	趙伯駒（傳）		臺北故宮博物院
330	萬松金闕圖	南宋	趙伯驌		故宮博物院
331	月色秋聲圖	南宋	馬和之		遼寧省博物館
332	唐風圖	南宋	馬和之		遼寧省博物館
334	鹿鳴之什圖	南宋	馬和之		故宮博物院
336	豳風圖	南宋	馬和之		故宮博物院
337	後赤壁賦圖	南宋	馬和之		故宮博物院
338	長江萬里圖	南宋	趙黻		故宮博物院
342	四季牧牛圖	南宋	閻次平		南京博物院
346	秋野牧牛圖	南宋	閻次平（傳）		日本京都泉屋博古館
346	雪樹寒禽圖	南宋	李迪		上海博物館
347	鷄雛待飼圖	南宋	李迪		故宮博物院
347	獵犬圖	南宋	李迪		故宮博物院
348	紅白芙蓉圖	南宋	李迪		日本東京國立博物館
349	風雨歸牧圖	南宋	李迪		臺北故宮博物院
350	楓鷹雉鷄圖	南宋	李迪		故宮博物院
351	梅竹寒禽圖	南宋	林椿		上海博物館
351	果熟來禽圖	南宋	林椿		故宮博物院

頁碼	名稱	時代	作者	來源	收藏地
352	牧牛圖	南宋	毛益（傳）		故宮博物院
355	瀟湘卧游圖	南宋	李□		日本東京國立博物館
358	羅漢圖	南宋	劉松年		臺北故宫博物院
360	四景山水圖	南宋	劉松年		故宫博物院
362	雪山行旅圖	南宋	劉松年		四川博物院
362	雪中梅竹圖	南宋	徐禹功		遼寧省博物館
363	竹雀圖	南宋	吴炳		上海博物館
364	貨郎圖	南宋	李嵩		故宫博物院
366	骷髏幻戲圖	南宋	李嵩		故宫博物院
367	夜月觀潮圖	南宋	李嵩		臺北故宫博物院
367	花籃圖	南宋	李嵩		故宫博物院
368	西湖圖	南宋	李嵩		上海博物館
370	梅石溪鳧圖	南宋	馬遠		故宫博物院
371	踏歌圖	南宋	馬遠		故宫博物院
372	雪灘雙鷺圖	南宋	馬遠		臺北故宫博物院
372	乘龍圖	南宋	馬遠		臺北故宫博物院
373	華燈侍宴圖	南宋	馬遠		臺北故宫博物院
373	洞山渡水圖	南宋	馬遠		日本東京國立博物館
374	十二水圖	南宋	馬遠		故宫博物院
376	西園雅集圖	南宋	馬遠		美國堪薩斯納爾遜－艾金斯美術館
378	孔子像	南宋	馬遠		故宫博物院
378	山徑春行圖	南宋	馬遠		臺北故宫博物院
379	白薔薇圖	南宋	馬遠		故宫博物院
379	松溪泛月圖	南宋	夏圭		故宫博物院
380	烟岫林居圖	南宋	夏圭		故宫博物院
380	雪堂客話圖	南宋	夏圭		故宫博物院
381	松崖客話圖	南宋	夏圭		臺北故宫博物院
381	梧竹溪堂圖	南宋	夏圭		故宫博物院
382	山水十二景圖	南宋	夏圭		美國堪薩斯納爾遜－艾金斯美術館
384	溪山清遠圖	南宋	夏圭		臺北故宫博物院
388	洞庭秋月圖	南宋	夏圭		美國華盛頓弗利爾美術館
388	出山釋迦圖	南宋	梁楷		日本東京國立博物館
389	雪景山水圖	南宋	梁楷		日本東京國立博物館
389	六祖截竹圖	南宋	梁楷		日本東京國立博物館

頁碼	名稱	時代	作者	來源	收藏地
422	墨蘭圖	南宋	趙孟堅		故宮博物院
422	水仙圖	南宋	趙孟堅		天津博物館
424	歲寒三友圖	南宋	趙孟堅		臺北故宮博物院
424	溪山行旅圖	南宋	朱□		上海博物館
425	江亭攬勝圖	南宋	朱惟德		遼寧省博物館
425	駿骨圖	南宋	龔開		日本大阪市立美術館
426	中山出游圖	南宋	龔開		美國華盛頓弗利爾美術館
428	五百羅漢圖之一	南宋	周季常		美國華盛頓弗利爾美術館
428	五百羅漢圖之一	南宋	林庭珪		美國華盛頓弗利爾美術館
429	盤車圖	南宋	佚名		故宮博物院
429	秋林飛瀑圖	南宋	佚名（舊題范寬）		臺北故宮博物院
430	溪山雪意圖	南宋	佚名（舊題高克明）		美國紐約大都會博物館
432	雲山墨戲圖	南宋	佚名（舊題米友仁）		故宮博物院
434	晚景圖	南宋	佚名		上海博物館
434	秋林放犢圖	南宋	佚名		故宮博物院
435	寒林樓觀圖	南宋	佚名		臺北故宮博物院
435	溪山樓觀圖	南宋	佚名		上海博物館
436	溪山暮雪圖	南宋	佚名		臺北故宮博物院
436	松泉磐石圖	南宋	佚名		臺北故宮博物院
437	岷山晴雪圖	南宋	佚名		臺北故宮博物院
437	雪峰寒艇圖	南宋	佚名		上海博物館
438	濠梁秋水圖	南宋	佚名		天津博物館
439	寒鴉圖	南宋	佚名		遼寧省博物館
440	春塘禽樂圖	南宋	佚名		吉林省博物院
442	雪景四段圖	南宋	佚名		上海博物館
444	秋山紅樹圖	南宋	佚名		故宮博物院
444	江天樓閣圖	南宋	佚名		南京博物院
445	秋冬山水圖	南宋	佚名		日本京都金地院
446	雪屐觀梅圖	南宋	佚名		上海博物館
446	山樓來鳳圖	南宋	佚名		上海博物館
447	絲綸圖	南宋	佚名		故宮博物院
447	雪窗讀書圖	南宋	佚名		中國國家博物館
448	輞川圖	南宋	佚名		中國國家博物館
448	商山四皓圖	南宋	佚名		遼寧省博物館

頁碼	名稱	時代	作者	來源	收藏地
476	蕭翼賺蘭亭圖	南宋	佚名		故宮博物院
477	盧仝烹茶圖	南宋	佚名		故宮博物院
478	虎溪三笑圖	南宋	佚名		臺北故宮博物院
479	柳蔭高士圖	南宋	佚名		臺北故宮博物院
480	會昌九老圖	南宋	佚名		故宮博物院
481	田畯醉歸圖	南宋	佚名		故宮博物院
482	摹女史箴圖	南宋	佚名		故宮博物院
484	九歌圖	南宋	佚名		黑龍江省博物館
488	九歌圖	南宋	佚名		遼寧省博物館
489	蓮社圖	南宋	佚名		南京博物院
490	白蓮社圖	南宋	佚名（舊題李公麟）		遼寧省博物館
492	蘭亭圖	南宋	佚名		黑龍江省博物館
494	女孝經圖	南宋	佚名		故宮博物院
496	人物圖	南宋	佚名		臺北故宮博物院
497	槐蔭消夏圖	南宋	佚名		故宮博物院
497	賣漿圖	南宋	佚名		黑龍江省博物館
498	濯足圖	南宋	佚名		湖北省博物館
499	柳蔭群盲圖	南宋	佚名		故宮博物院
500	大儺圖	南宋	佚名		故宮博物院
501	雜劇打花鼓	南宋	佚名		故宮博物院
501	小庭嬰戲圖	南宋	佚名		故宮博物院
502	冬日嬰戲圖	南宋	佚名		臺北故宮博物院
503	出山釋迦圖	南宋	佚名		美國克里夫蘭博物館
503	伏虎羅漢圖	南宋	佚名		廣東省博物館
504	維摩居士圖	南宋	佚名		日本京都國立博物館
504	布袋和尚圖	南宋	佚名		上海博物館
505	地官圖	南宋	佚名		美國波士頓美術館
505	水官圖	南宋	佚名		美國波士頓美術館
506	南唐文會圖	南宋	佚名		故宮博物院
506	松蔭論道圖	南宋	佚名		故宮博物院
507	春游晚歸圖	南宋	佚名		故宮博物院
508	蕉陰擊球圖	南宋	佚名		故宮博物院
508	天寒翠岫圖	南宋	佚名		故宮博物院
509	瑶臺步月圖	南宋	佚名		故宮博物院

頁碼	名稱	時代	作者	來源	收藏地
509	仙女乘鸞圖	南宋	佚名		故宮博物院
510	花卉四段圖	南宋	佚名		故宮博物院
512	百花圖	南宋	佚名		故宮博物院
514	出水芙蓉圖	南宋	佚名		故宮博物院
514	白茶花圖	南宋	佚名		故宮博物院
515	叢菊圖	南宋	佚名		故宮博物院
515	牡丹圖	南宋	佚名		故宮博物院
516	桃花鴛鴦圖	南宋	佚名		南京博物院
516	翠竹翎毛圖	南宋	佚名		臺北故宮博物院
517	蓮池水禽圖	南宋	佚名		日本東京國立博物館
518	烏桕文禽圖	南宋	佚名		故宮博物院
518	霜柯竹澗圖	南宋	佚名		故宮博物院
519	榴枝黄鳥圖	南宋	佚名		故宮博物院
519	霜篠寒雛圖	南宋	佚名		故宮博物院
520	枇杷山鳥圖	南宋	佚名		故宮博物院
520	紅蓼水禽圖	南宋	佚名		故宮博物院
521	鬥雀圖	南宋	佚名		故宮博物院
521	子母鷄圖	南宋	佚名		臺北故宮博物院
522	瓊花真珠鷄圖	南宋	佚名		重慶市博物館
522	葵花獅猫圖	南宋	佚名		重慶市博物館
523	富貴花貍圖	南宋	佚名		臺北故宮博物院
523	蜀葵游猫圖	南宋	佚名		日本奈良大和文華館
524	鷄冠乳犬圖	南宋	佚名		河北省博物館
524	犬戲圖	南宋	佚名		遼寧省博物館
525	群魚戲藻圖	南宋	佚名		故宮博物院
525	荷蟹圖	南宋	佚名		故宮博物院
526	落花游魚圖	南宋	佚名		美國聖路易藝術博物館
528	竹蟲圖	南宋	佚名		日本東京國立博物館
528	牧羊圖	南宋	佚名		上海博物館
529	牧牛圖	南宋	佚名		日本大阪市立美術館
529	蛛網攫猿圖	南宋	佚名		故宮博物院
530	猿猴摘果圖	南宋	佚名		故宮博物院
531	山花墨兔圖	南宋	佚名		臺北故宮博物院
531	秋瓜圖	南宋	佚名		臺北故宮博物院

頁碼	名稱	時代	作者	來源	收藏地
532	大理國梵像圖	大理國	張勝温		臺北故宮博物院

元 (公元一二七一年至公元一三六八年)

頁碼	名稱	時代	作者	來源	收藏地
534	歸莊圖	元	何澄		吉林省博物院
538	八花圖	元	錢選		故宫博物院
540	花鳥圖	元	錢選		天津博物館
541	浮玉山居圖	元	錢選		上海博物館
542	秋江待渡圖	元	錢選		故宫博物院
543	山居圖	元	錢選		故宫博物院
544	秋瓜圖	元	錢選（傳）		臺北故宮博物院
544	墨蘭圖	元	鄭思肖		日本大阪市立美術館
544	消夏圖	元	劉貫道		美國堪薩斯納爾遜－艾金斯美術館
546	元世祖出獵圖	元	劉貫道		臺北故宮博物院
547	紆竹圖	元	李衎		廣東省廣州美術館
547	修篁樹石圖	元	李衎		南京博物院
548	竹石圖	元	李衎		故宫博物院
549	雙勾竹石圖	元	李衎		故宫博物院
549	雙松圖	元	李衎		臺北故宮博物院
550	雲橫秀嶺圖	元	高克恭		臺北故宮博物院
551	春山欲雨圖	元	高克恭		上海博物館
551	秋山暮靄圖	元	高克恭		故宫博物院
552	春雲曉靄圖	元	高克恭		故宫博物院
552	竹石圖	元	高克恭		故宫博物院
553	古木寒鴉圖	元	羅稚川		美國紐約大都會博物館
555	雙勾竹及松石圖	元	張遜		故宫博物院
556	鵲華秋色圖	元	趙孟頫		臺北故宮博物院
556	人騎圖	元	趙孟頫		故宫博物院
558	調良圖	元	趙孟頫		臺北故宮博物院
559	蘇東坡像	元	趙孟頫		臺北故宮博物院
560	蘭竹石圖	元	趙孟頫		上海博物館

頁碼	名稱	時代	作者	來源	收藏地
561	水村圖	元	趙孟頫		故宮博物院
562	紅衣天竺僧	元	趙孟頫		遼寧省博物館
563	洞庭東山圖	元	趙孟頫		上海博物館
564	秋郊飲馬圖	元	趙孟頫		故宮博物院
564	雙松平遠圖	元	趙孟頫		美國紐約大都會博物館
566	浴馬圖	元	趙孟頫		故宮博物院
568	窠木竹石圖	元	趙孟頫		臺北故宮博物院
568	古木竹石圖	元	趙孟頫		故宮博物院
569	幽篁戴勝圖	元	趙孟頫		故宮博物院
569	二羊圖	元	趙孟頫		美國華盛頓弗利爾美術館
570	張果見明皇圖	元	任仁發		故宮博物院
572	出圉圖	元	任仁發		故宮博物院
573	二馬圖	元	任仁發		故宮博物院
574	秋水鳧鷖圖	元	任仁發		上海博物館
574	山水圖	元	顏輝		河南省開封市博物館
575	劉海蟾鐵拐像	元	顏輝		日本京都知恩寺
576	李仙像	元	顏輝		故宮博物院
576	猿圖	元	顏輝		故宮博物院

上樂金剛像

西夏

佚名

發現于寧夏賀蘭縣拜寺口雙塔。

高55、寬39厘米。

絹本，設色。

現藏寧夏博物館。

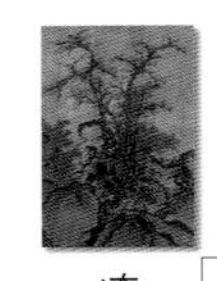

上師圖（局部）

西夏

佚名

發現于寧夏賀蘭縣拜寺口雙塔。

全圖高135、寬94.5厘米。

絹本，設色。

現藏寧夏博物館。

玄武大帝圖

西夏

佚名

發現于寧夏賀蘭縣宏佛塔。

高78、寬57厘米。

絹本，設色。

現藏寧夏回族自治區西夏博物館。

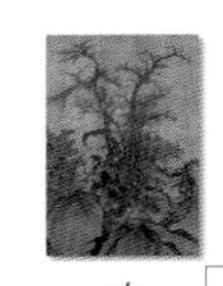

護法力士像

西夏
佚名
發現于寧夏賀蘭縣宏佛塔。
高80、寬51.5厘米。
絹本，設色。
現藏寧夏回族自治區西夏博物館。

阿彌陀接引圖

西夏

佚名

高125、寬64厘米。

絹本，設色。

現藏俄羅斯艾爾米塔什博物館。

熾盛光佛圖

西夏

佚名

發現于寧夏賀蘭縣宏佛塔。

高125、寬61.8厘米。

絹本，設色。

現藏寧夏回族自治區西夏博物館。

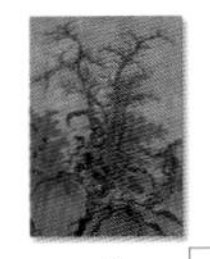

十一面觀音像

西夏

佚名

高132、寬94厘米。

絹本，設色。

現藏俄羅斯艾爾米塔什博物館。

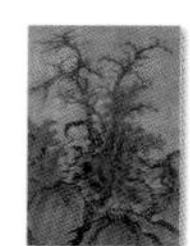

大勢至菩薩像

西夏
佚名
高125、寬62.5厘米。
絹本，設色。
現藏俄羅斯艾爾米塔什博物館。

水月觀音像

西夏
佚名
高101.5、寬59.5厘米。
絹本，設色。
現藏俄羅斯艾爾米塔什博物館。

官人像

西夏
佚名
高45、寬31.8厘米。
紙本，設色。
現藏俄羅斯艾爾米塔什博物館。

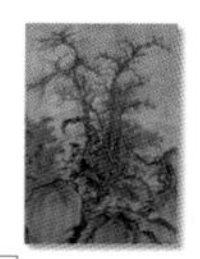

張 珪

金代畫家。活動于正隆年間(公元1156–1161年)。工畫人物,亦擅畫動物。

神龜圖

金
張珪
高26.5、寬55.3厘米。
絹本,設色。
現藏故宮博物院。

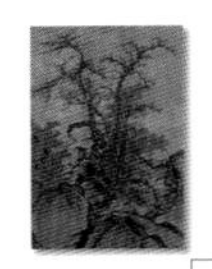

馬雲卿

金代畫家。介休（今屬山西）人。擅白描人物。

維摩演教圖

金
馬雲卿
高34.6、寬207.5厘米。
紙本，水墨。
現藏故宮博物院。

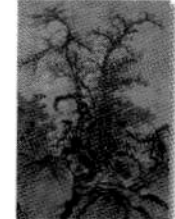

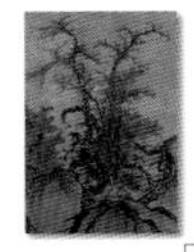

宮素然

金代畫家。真定（今河北正定）人。女道士。

明妃出塞圖

金
宮素然
高30.2、寬160.2厘米。
紙本，水墨。
現藏日本大阪市立美術館。

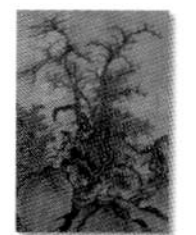

李　山（約公元1121－約1202年）

金代畫家。平陽（今山西臨汾）人。擅畫山石林木。

風雪松杉圖

金

李山

高29.7、寬79.2厘米。

絹本，水墨。

現藏美國華盛頓弗利爾美術館。

平陽李山製

王庭筠（公元1151－1202年）

金代書畫家。河東（今山西永濟西）人，一作熊岳（今遼寧蓋州）人。字子端，號黃華老人。米芾甥。大定十六年（公元1176年）進士，官至翰林修撰。書法學米芾，繪畫長于山水，亦善枯木竹石。

幽竹枯槎圖

金
王庭筠
絹本，水墨。
現藏日本京都藤井有鄰館。

楊　微

金代畫家。高唐（今屬山東）人。擅畫人物鞍馬。

二駿圖

金
楊微
高25.2、寬81厘米。
絹本，設色。
現藏遼寧省博物館。

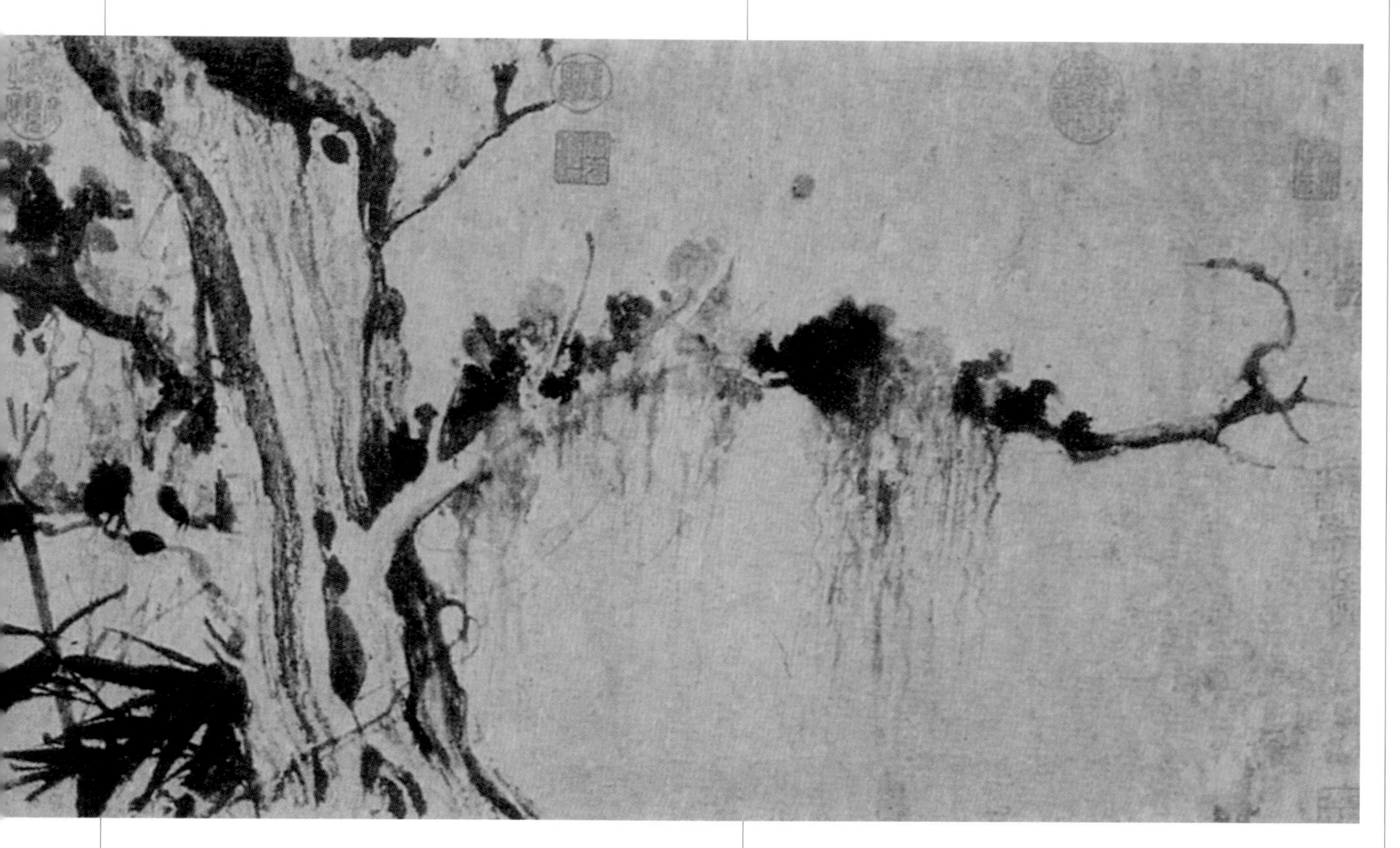

武元直

金代畫家。字善夫。章宗明昌（公元1190-1196年）時名士。善作山水。

赤壁圖

金

武元直

高50.9、寬136.4厘米。

紙本，水墨。

現藏臺北故宮博物院。

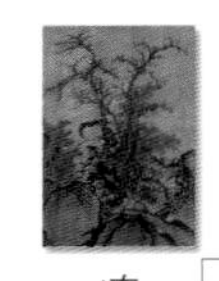

趙霖

金代畫家。活動于熙宗年間（公元1135-1149年）。善畫人馬。

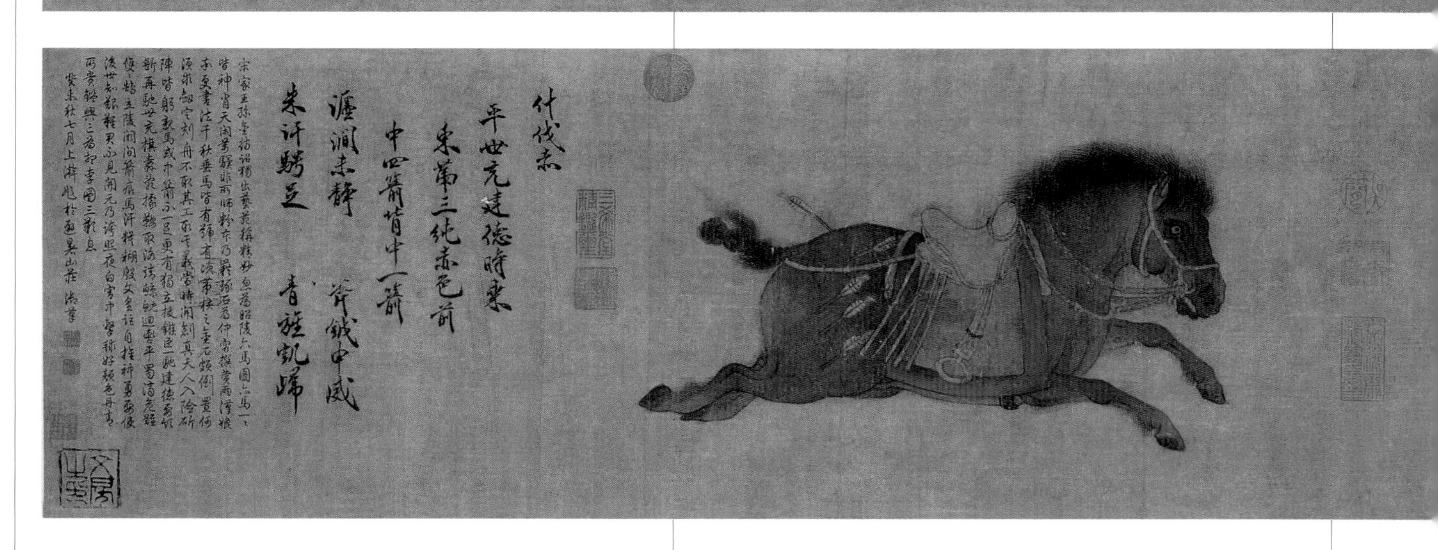

昭陵六駿圖

金

趙霖

全圖高27.4、寬444.2厘米。

絹本，設色。

現藏故宫博物院。

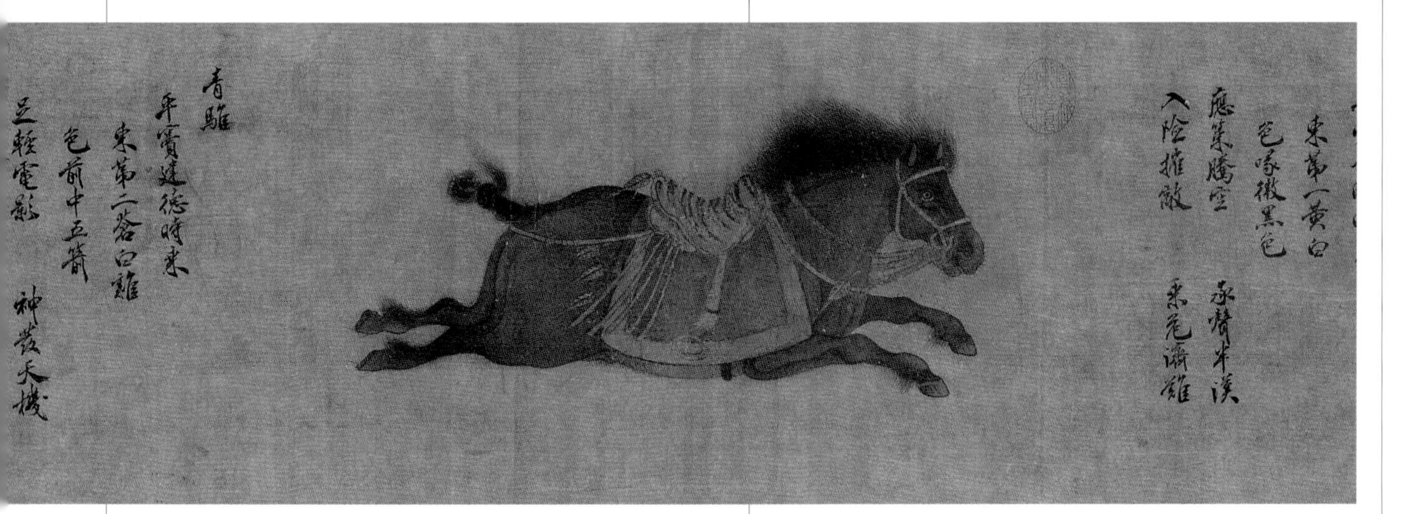

張　瑀

金代畫家。生平事迹不詳。

文姬歸漢圖

金

張瑀

高29、寬129厘米。

絹本，設色。

現藏吉林省博物院。

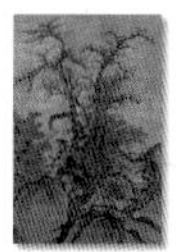

平林霽色圖

金

佚名

高34.3、寬150.8厘米。

絹本，水墨淡設色。

現藏美國波士頓美術館。

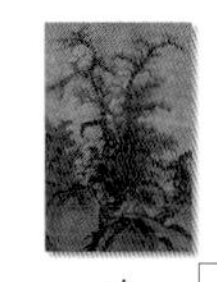

溪山無盡圖

金

佚名

高34.3、寬221厘米。

絹本，設色。

現藏美國克里夫蘭美術館。

洞天山堂圖

金

佚名

高183.2、寬121.2厘米。
絹本，設色。
現藏臺北故宮博物院。

李　唐（公元1066–1150，一作約1050–?年）

北宋末南宋初畫家。河陽三城（今河南孟州）人。字晞古。北宋徽宗朝補入畫院，南渡後復入畫院爲待詔，時年已近八十。擅畫山水，變荆浩、范寬之法，創南宋山水畫新畫風，影響深遠。兼工人物，亦工畫牛。與劉松年、馬遠、夏圭合稱“南宋四家”。

山水圖

南宋

李唐

均高98.1、寬43.4厘米。

絹本，水墨。

現藏日本京都高桐院。

山水圖之一

山水圖之二

晉文公復國圖（局部）

南宋

李唐

全圖高29.4、寬827厘米。

絹本，設色。

現藏美國紐約大都會博物館。

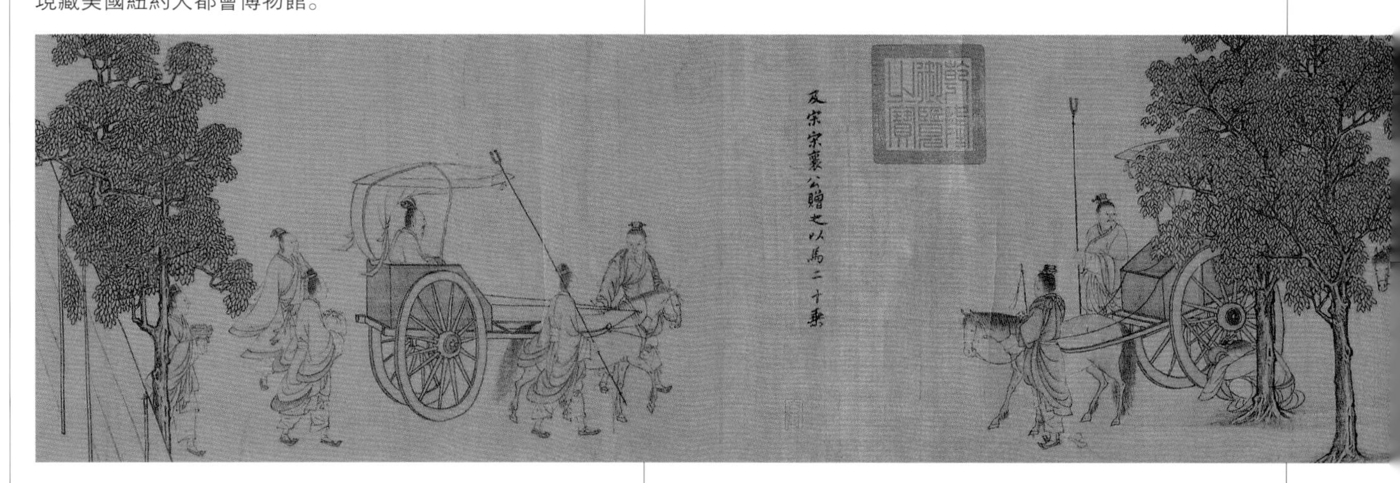

晉文公復國圖局部之一

晉文公復國圖局部之二

晉文公復國圖局部之三

清溪漁隱圖

南宋
李唐
高25.2、寬144.7厘米。
絹本，設色。
現藏臺北故宮博物院。

江山小景圖

南宋

李唐

高49.7、寬186.7厘米。

絹本，設色。

現藏臺北故宮博物院。

長夏江寺圖

南宋
李唐
高44、寬249厘米。
絹本，青綠重設色。
現藏故宫博物院。

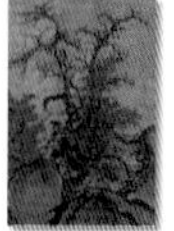

采薇圖

南宋
李唐
高27.2、寬90.5厘米。
絹本，水墨淡設色。
現藏故宮博物院。

萬壑松風圖

南宋

李唐

高188.7、寬139.8厘米。
絹本，設色。
現藏臺北故宮博物院。

米友仁（公元1074－1153，一作1086－1165年）

南宋書畫家。原籍襄陽（今湖北襄樊）人，後定居潤州（今江蘇鎮江）。字元暉，一名尹仁，晚號懶拙老人。米芾長子，世稱“小米”。工書善畫，承其父法，山水畫發展了米芾的技法，其畫法被後世稱爲“米點山水”，并强調“借物寫心”，崇尚“平淡天真”，運筆草草，自稱“墨戲”，對元明以來的文人山水畫影響很大。

遠岫晴雲圖

南宋

米友仁

高24.7、寬28.6厘米。

紙本，水墨淡設色。

現藏日本大阪市立美術館。

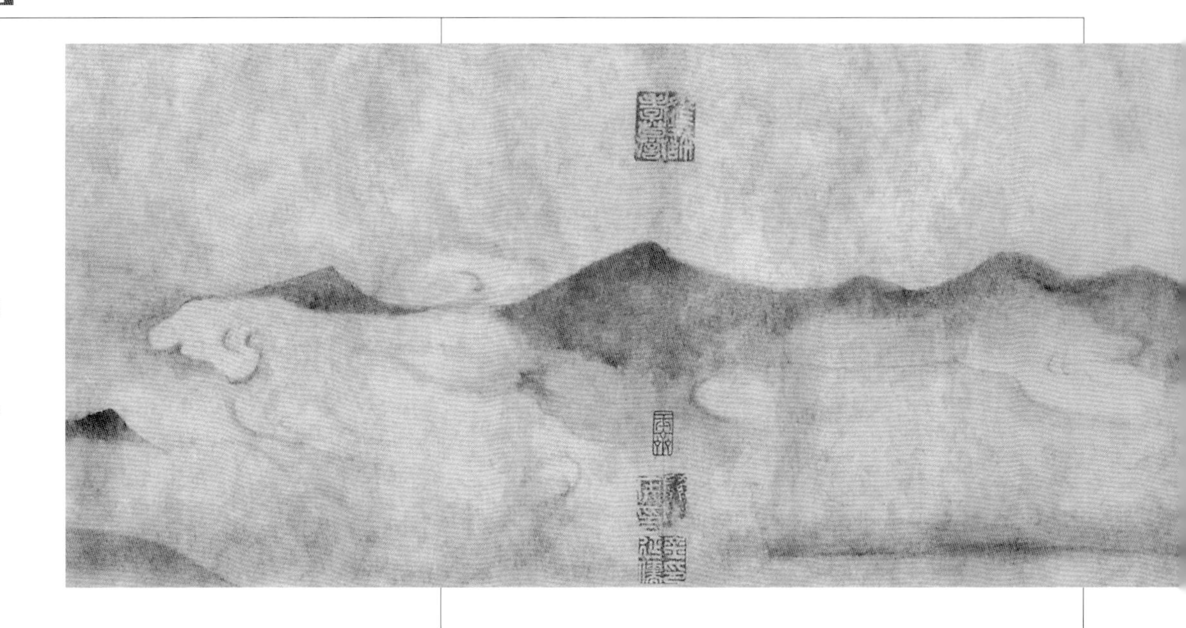

瀟湘奇觀圖

南宋
米友仁
高19.8、寬289.5厘米。
紙本，水墨。
現藏故宮博物院。

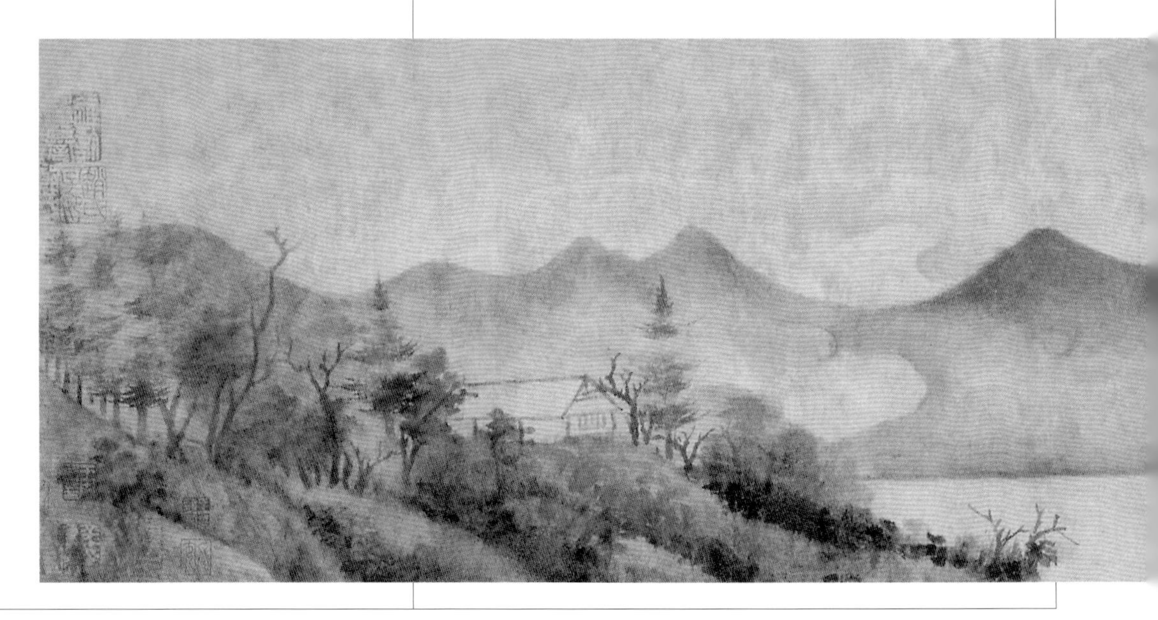

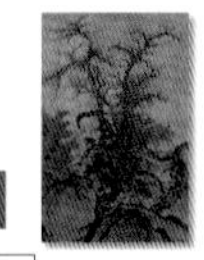

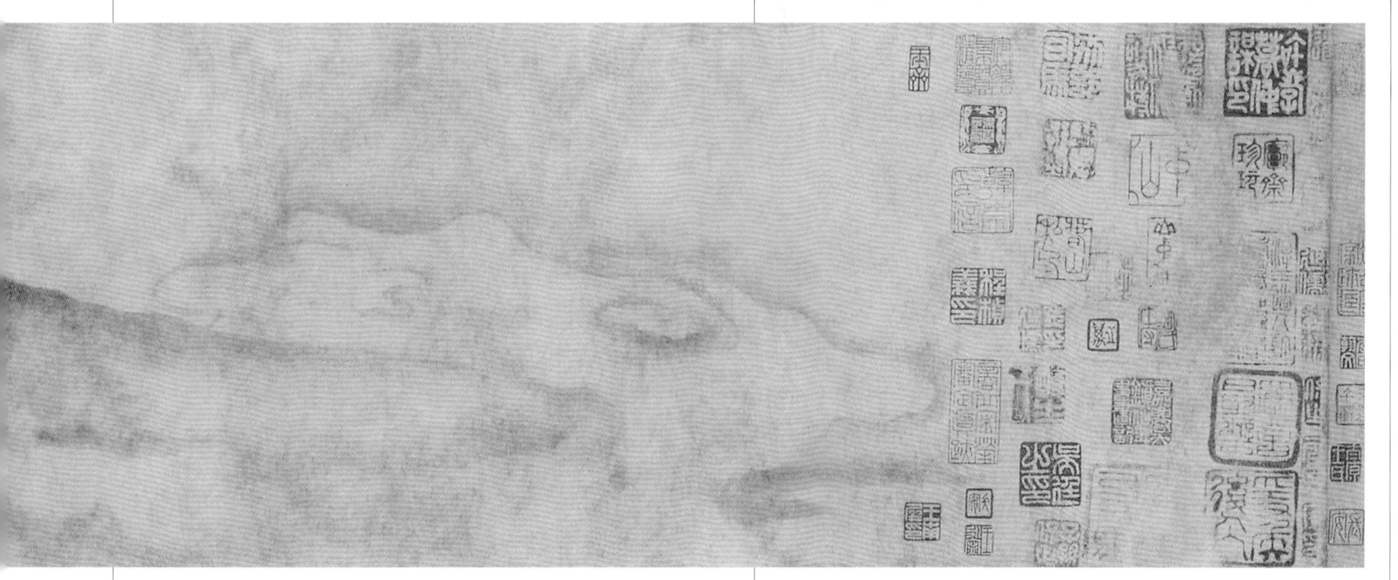

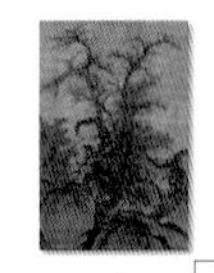

雲山得意圖

南宋

米友仁

高27.2、寬212.6厘米。

紙本，水墨。

現藏臺北故宮博物院。

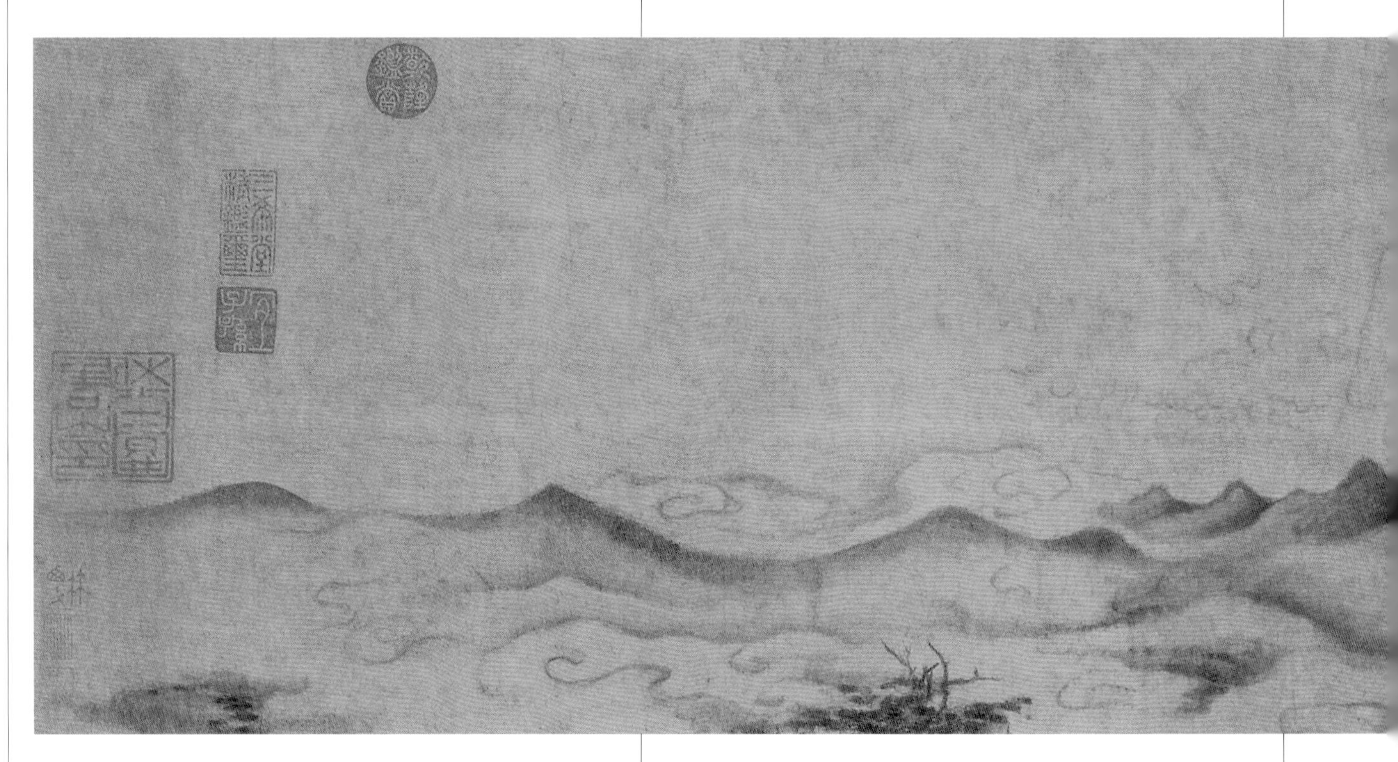

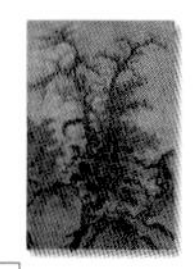

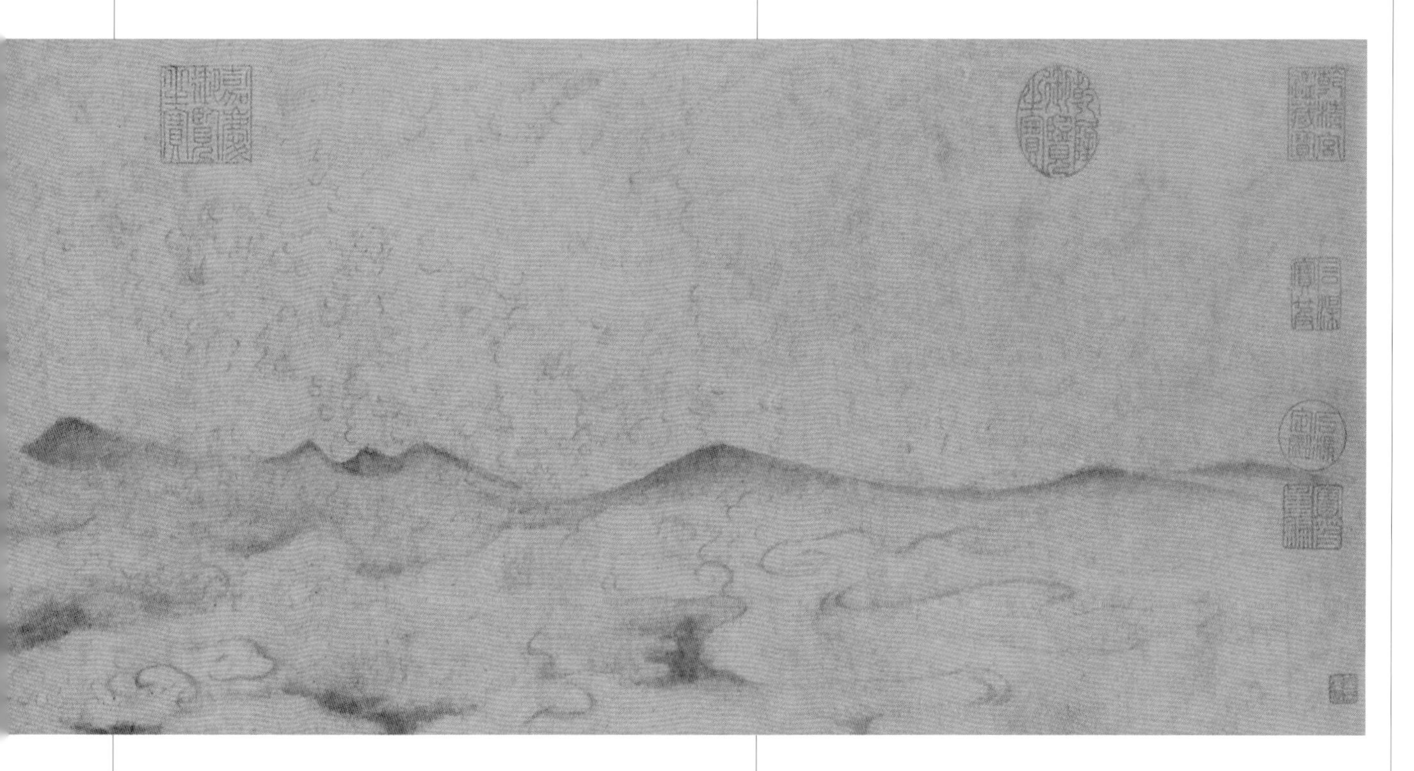

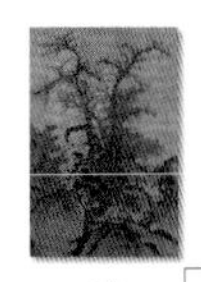

江　參

南宋畫家。衢州（今屬浙江）人，居湖州（今屬浙江）。字貫道。工書善畫，尤精山水，善用水墨寫江南景色。

千里江山圖

南宋
江參
高46.3、寬546.5厘米。
絹本，水墨淡設色。
現藏臺北故宮博物院。

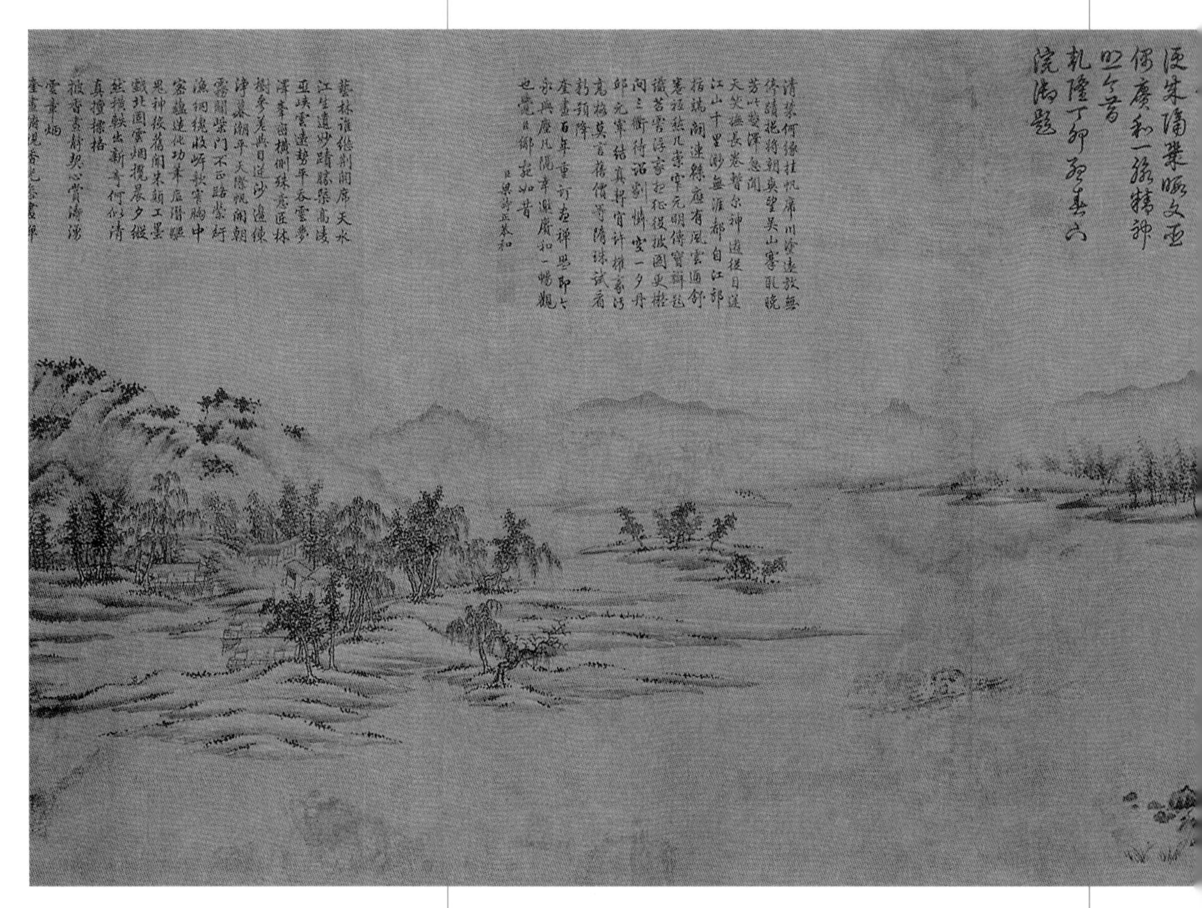

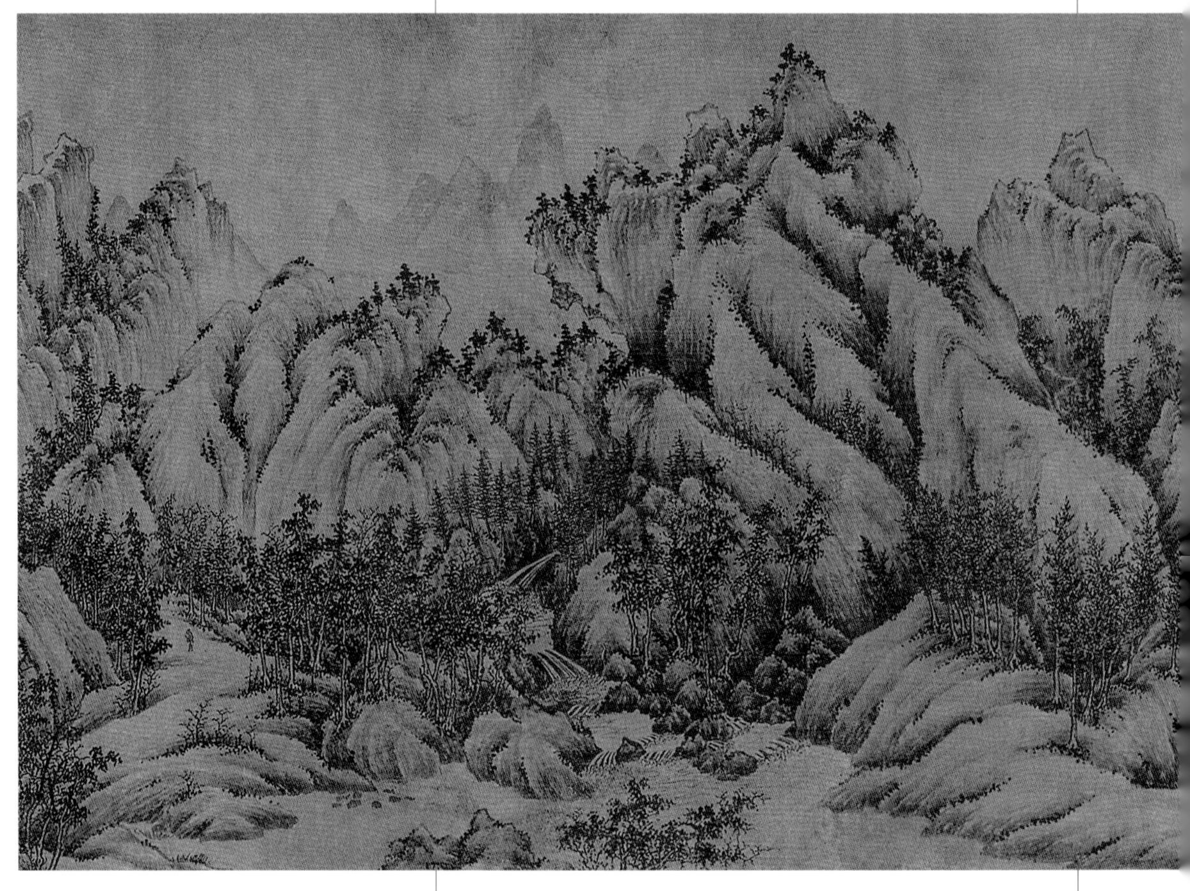

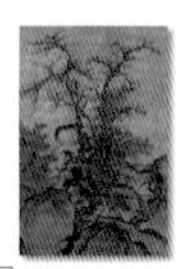

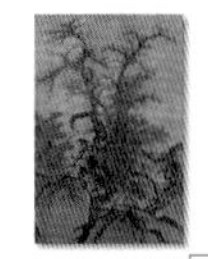

毛 松

南宋畫家。曾任職于畫院。善畫花鳥四時之景。

猿圖

南宋

毛松（傳）

高47、寬36.5厘米。

絹本，設色。

現藏日本東京國立博物館。

蕭　照

南宋畫家。陽城（今屬山西）人。字東生。知書善畫。靖康中，在太行山參加義兵，遇畫家李唐，隨其至臨安，得李唐傳授畫藝。紹興年間，補爲畫院待詔。擅山水、人物，尤長异松怪石。

秋山紅樹圖

南宋

蕭照

高28、寬28厘米。

絹本，設色。

現藏遼寧省博物館。

山腰樓觀圖
南宋
蕭照
高179.3、寬112.7厘米。
絹本，水墨淡設色。
現藏臺北故宫博物院。

李安忠

南宋畫家。錢塘（今浙江杭州）人。宣和時任職畫院，授成忠郎，南渡臨安後，紹興年間復職畫院。工畫花鳥走獸。尤長于“捉勒”（鷹鶻之類）。

鶉鳥圖

南宋
李安忠
高24.2、寬27.6厘米。
絹本，設色。
現藏日本東京根津美術館。

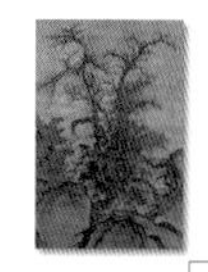

竹鳩圖

南宋
李安忠
高25.4、寬26.9厘米。
絹本，設色。
現藏臺北故宮博物院。

蘇漢臣

南宋畫家。開封（今屬河南）人。宣和時爲畫院待詔，南渡臨安後復職，孝宗隆興初授承信郎。擅繪人物、仕女及佛道宗教畫，尤善繪嬰戲。

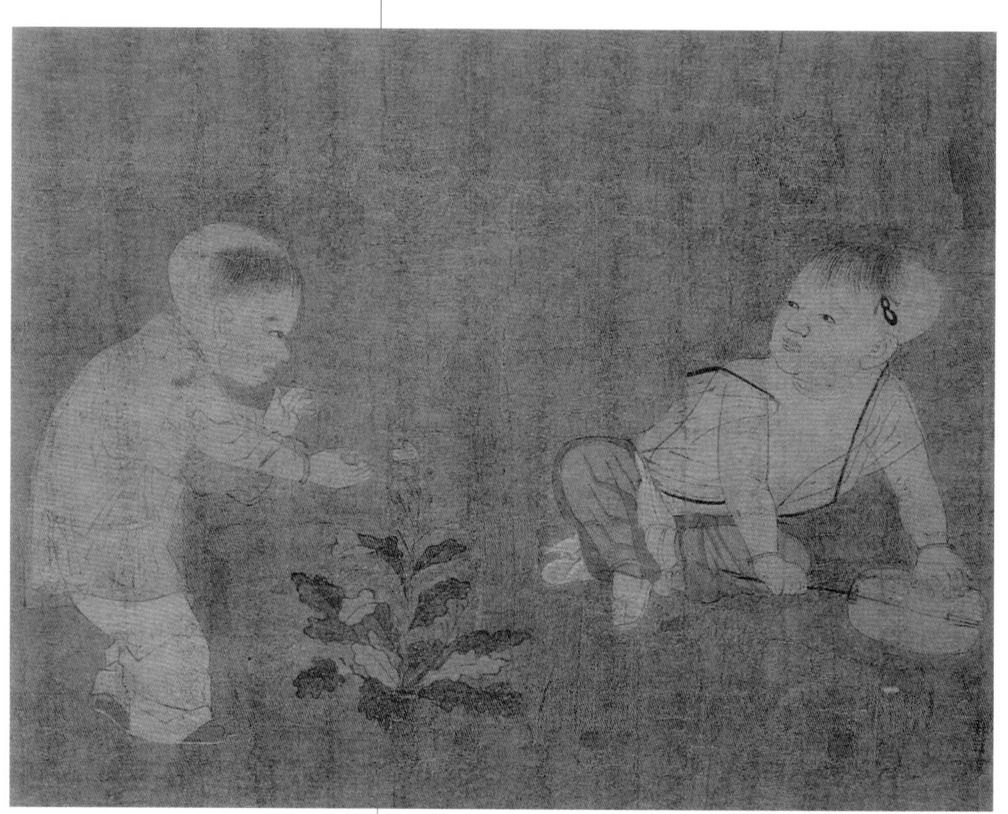

嬰戲圖

南宋
蘇漢臣
高18.2、寬22.8厘米。
絹本，設色。
現藏天津博物館。

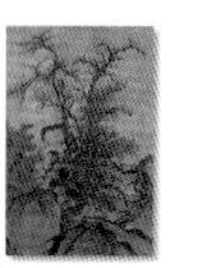

秋庭嬰戲圖

南宋

蘇漢臣

高197.5、寬108.7厘米。

絹本，設色。

現藏臺北故宮博物院。

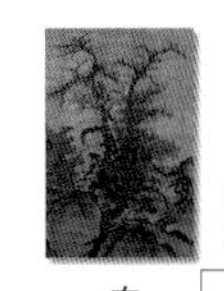

揚無咎（公元1097－1169年）

南宋畫家。清江（今江西樟樹）人，寓南昌（今屬江西）。字補之，號逃禪老人、清夷長者。善畫水墨人物、梅竹、松石和水仙，畫墨梅最著稱。

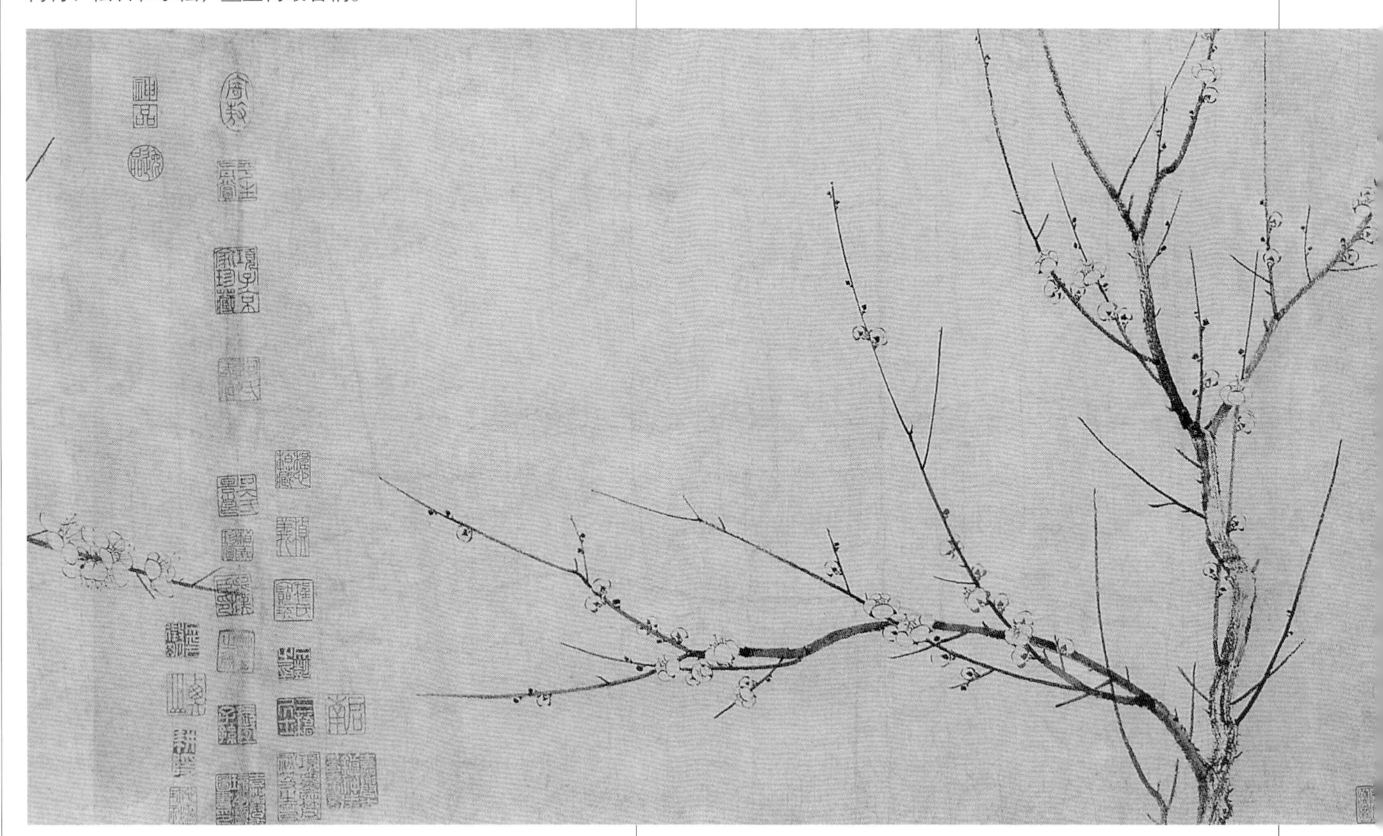

四梅圖

南宋

揚無咎

高37.2、寬358.8厘米。
紙本，水墨。
現藏故宫博物院。

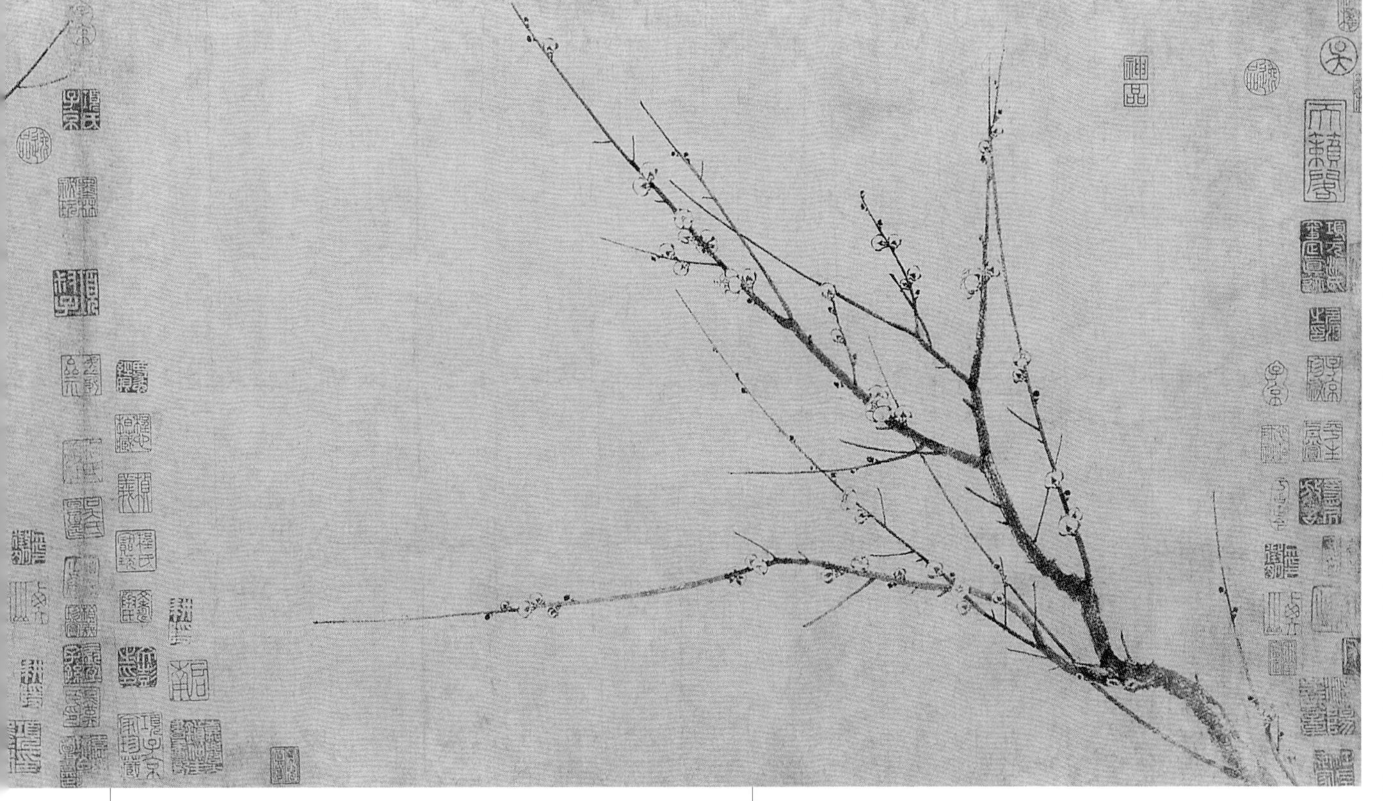

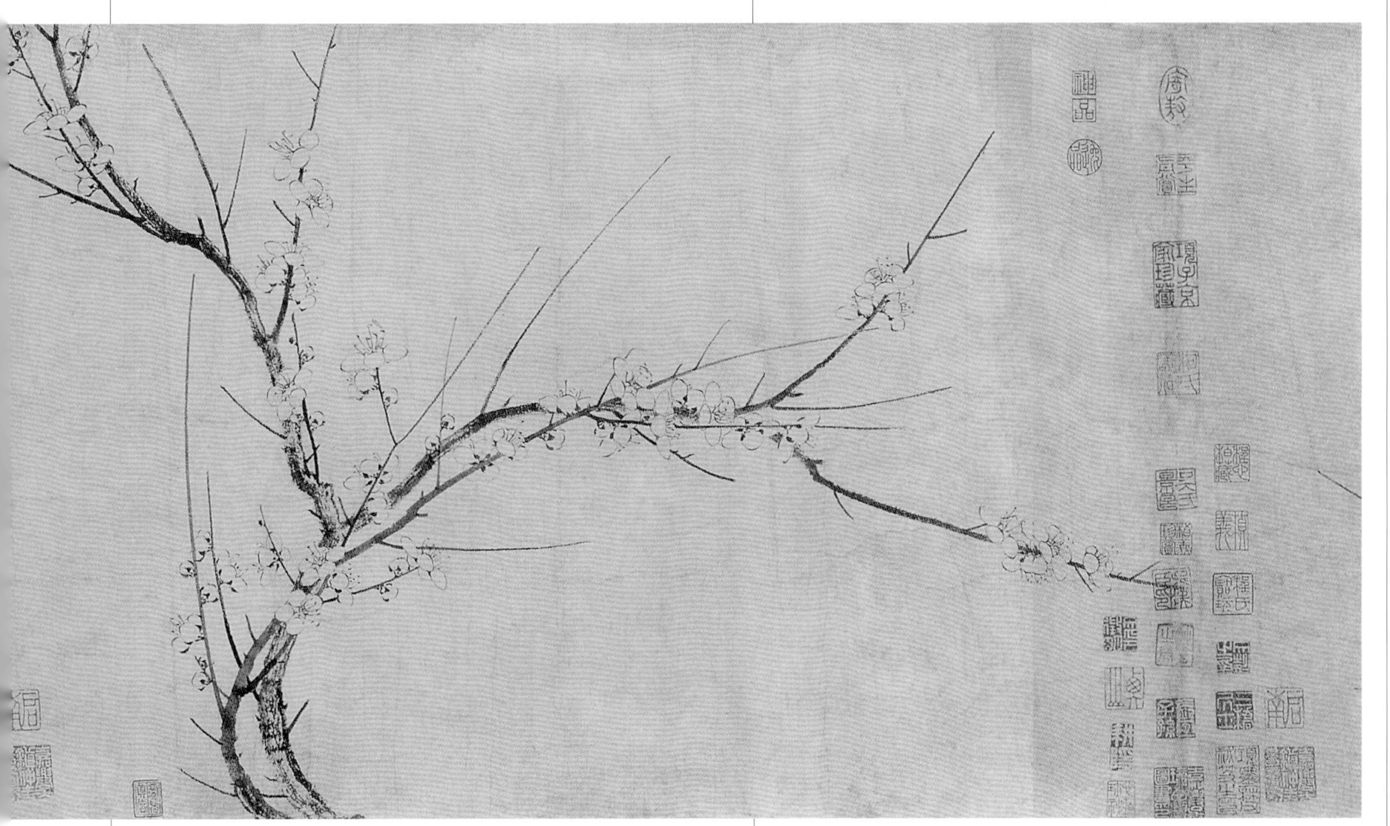

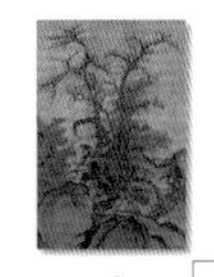

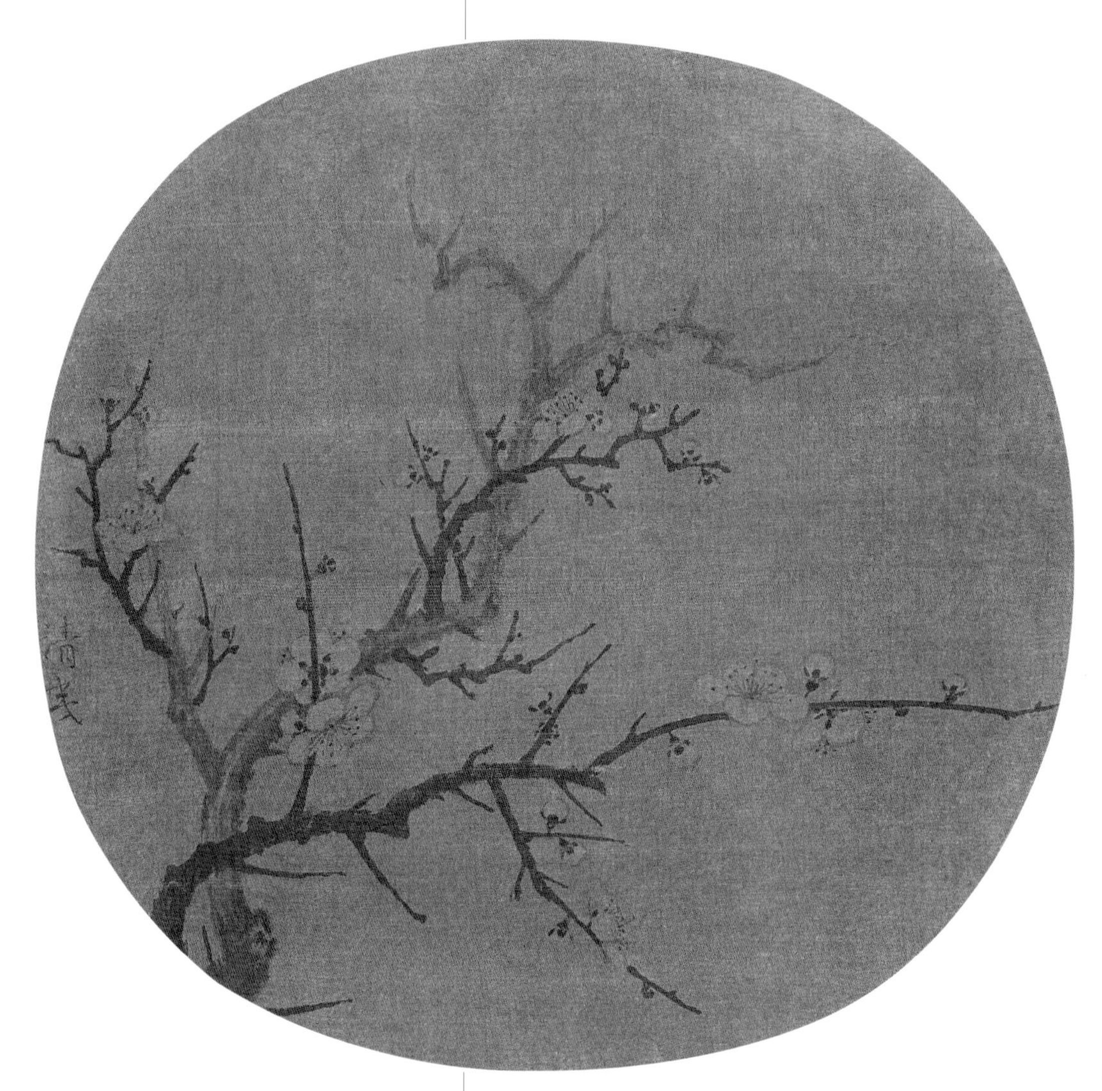

梅花圖

南宋
揚無咎
高23、寬24厘米。
絹本，墨筆。
現藏天津博物館。

雪梅圖

南宋
揚無咎
高27.1、寬144.8厘米。
絹本，水墨。
現藏故宫博物院。

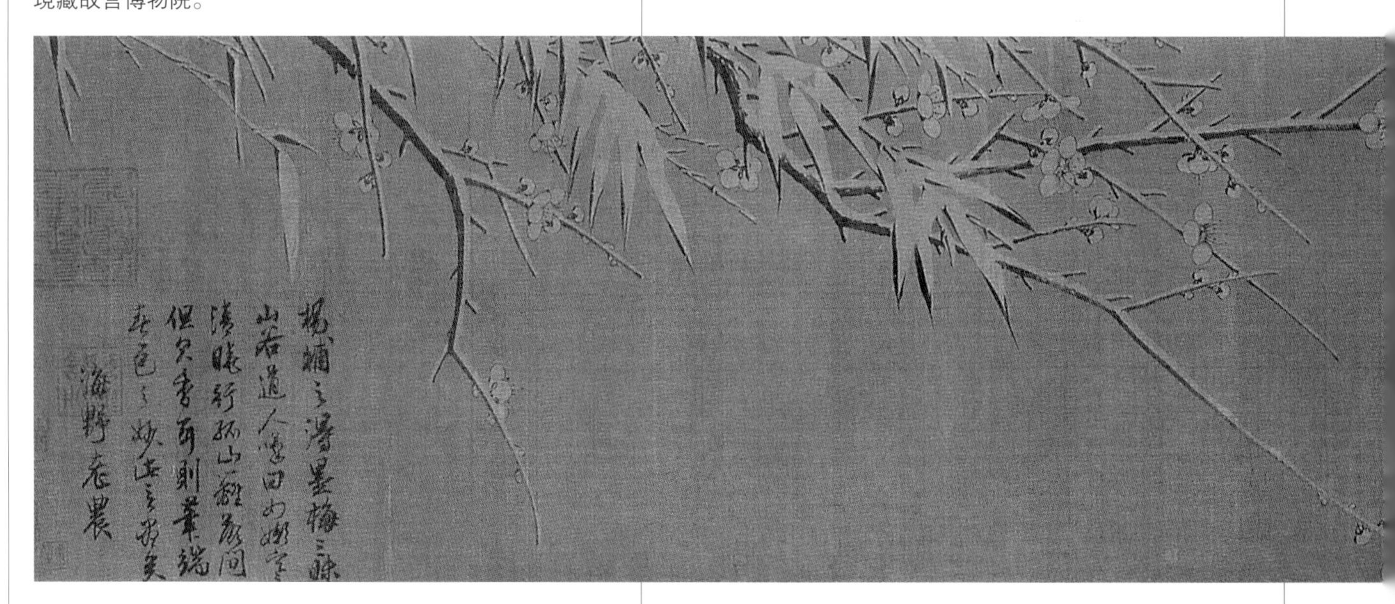

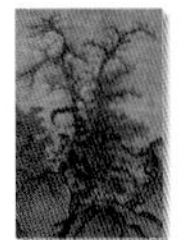

趙大亨

南宋畫家。初侍趙伯駒兄弟，久而能畫。善爲青緑山水和神仙故事畫。

薇亭小憩圖

南宋
趙大亨
高24.5、寬25.5厘米。
絹本，設色。
現藏遼寧省博物館。

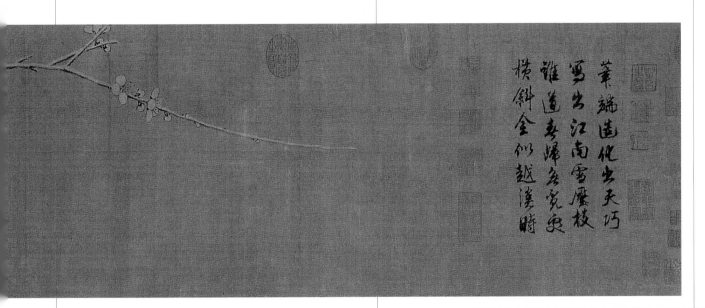

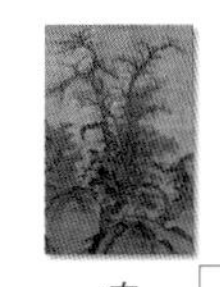

趙伯駒（公元1120－1182年）

南宋畫家。字千里。宋宗室，伯驌兄。擅作金碧山水畫。

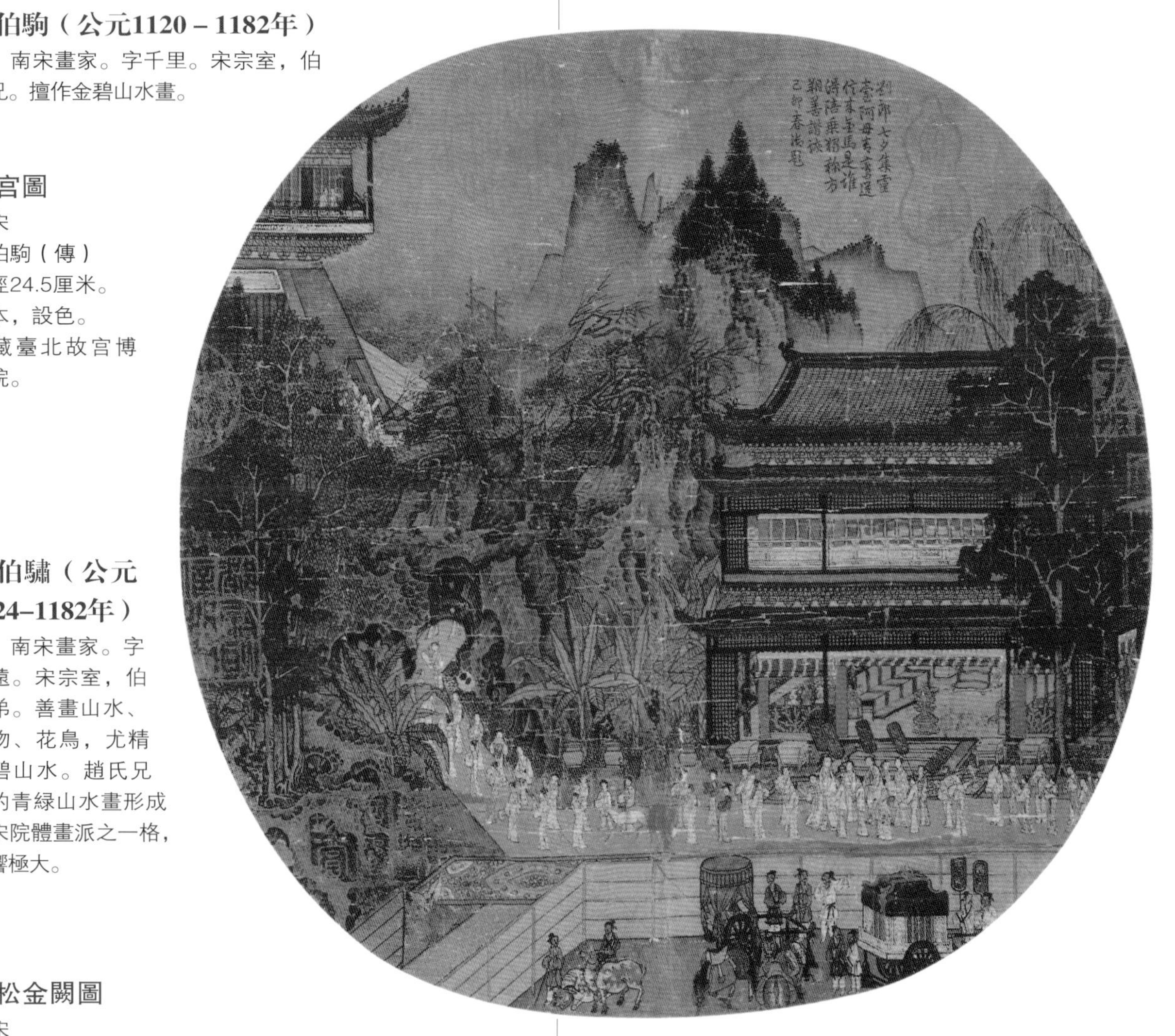

漢宮圖

南宋
趙伯駒（傳）
直徑24.5厘米。
絹本，設色。
現藏臺北故宮博物院。

趙伯驌（公元1124–1182年）

南宋畫家。字希遠。宋宗室，伯駒弟。善畫山水、人物、花鳥，尤精金碧山水。趙氏兄弟的青緑山水畫形成南宋院體畫派之一格，影響極大。

萬松金闕圖

南宋
趙伯驌
高27.7、寬136厘米。
絹本，設色。
現藏故宮博物院。

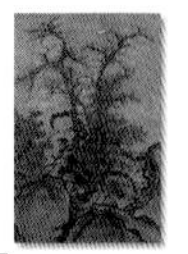

馬和之

南宋畫家。錢塘（今浙江杭州）人。南宋紹興年間進士，官至工部侍郎。擅畫人物、佛道、山水。人物畫仿吴道子，號“小吴生”。筆法飄逸，自成一家。高宗、孝宗深重其筆，每書《詩經》，命其補圖。

月色秋聲圖

南宋
馬和之
高29、寬22厘米。
絹本，設色。
現藏遼寧省博物館。

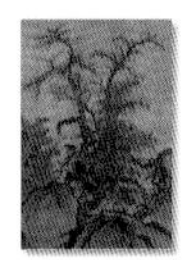

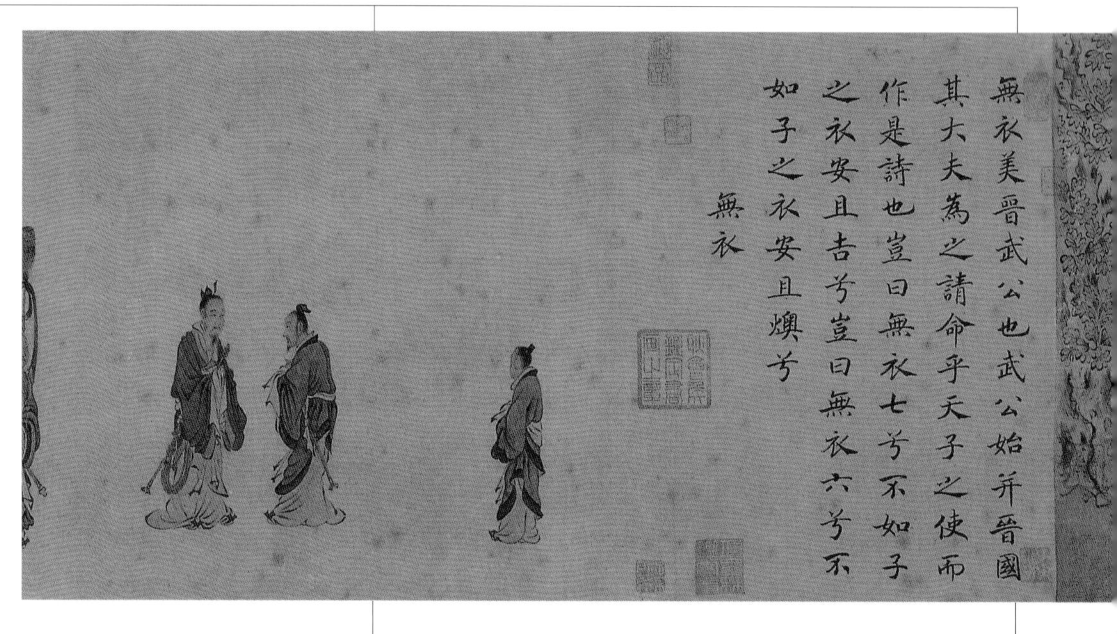

無衣美晉武公也武公始幷晉國
其大夫爲之請命乎天子之使而
作是詩也豈曰無衣七兮不如子
之衣安且吉兮豈曰無衣六兮不
如子之衣安且燠兮
無衣

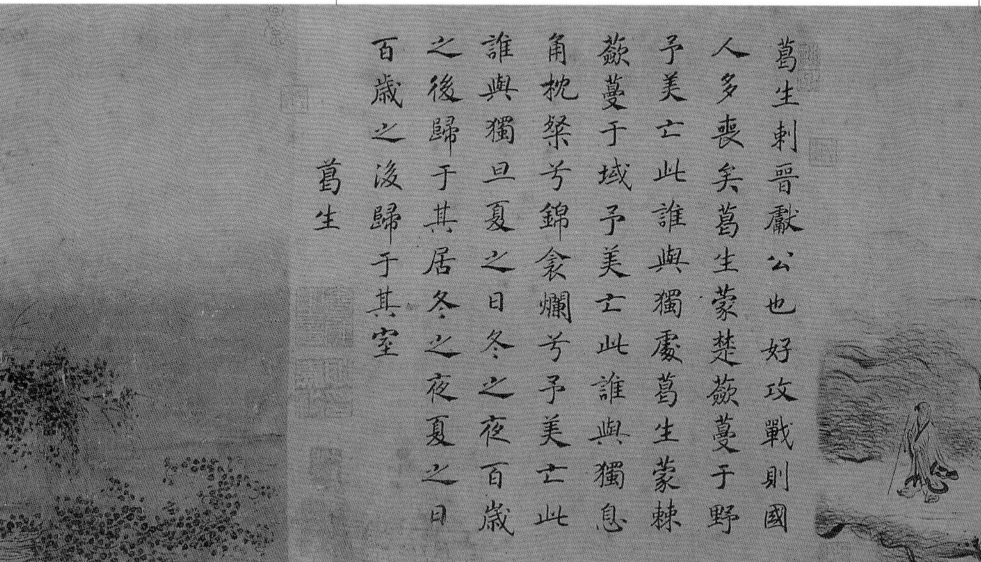

葛生刺晉獻公也好攻戰則國
人多喪矣葛生蒙楚蘞蔓于野
予美亡此誰與獨處葛生蒙棘
蘞蔓于域予美亡此誰與獨息
角枕粲兮錦衾爛兮予美亡此
誰與獨旦夏之日冬之夜百歲
之後歸于其居冬之夜夏之日
百歲之後歸于其室
葛生

唐風圖（局部）

南宋
馬和之
全圖高27.5、
寬743厘米。
絹本，設色。
現藏遼寧省博物館。

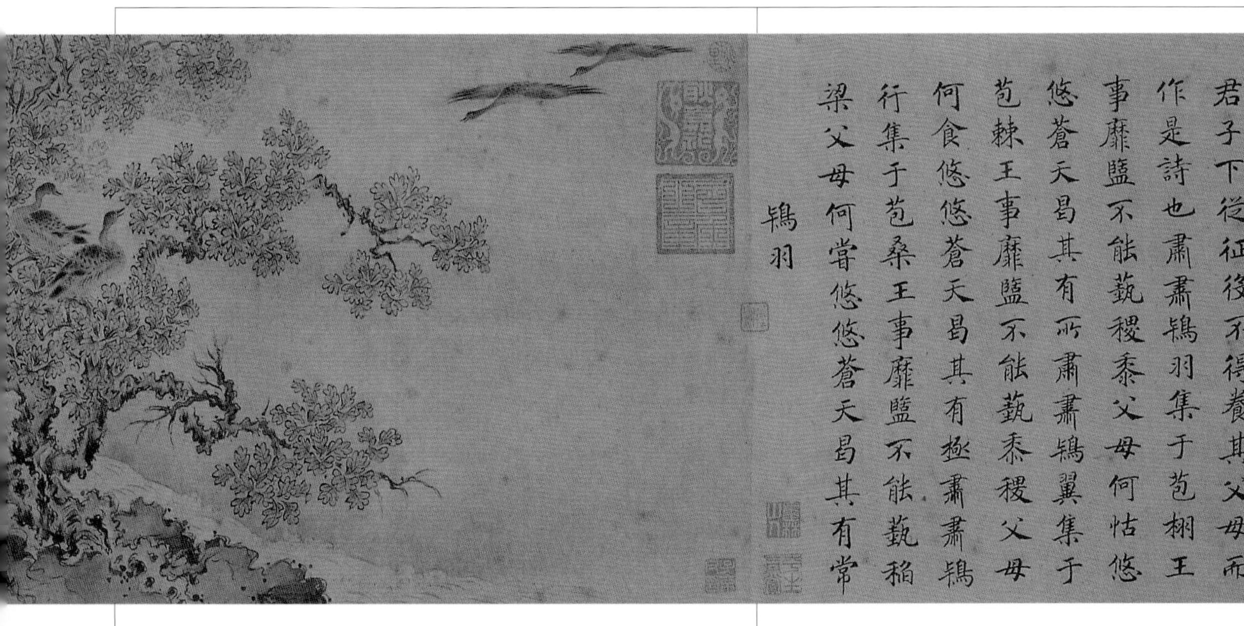

鴇羽刺時也昭公之後大亂五世
君子下從征役不得養其父母而
作是詩也肅肅鴇羽集于苞栩王
事靡盬不能蓺稷黍父母何怙悠
悠蒼天曷其有所肅肅鴇翼集于
苞棘王事靡盬不能蓺黍稷父母
何食悠悠蒼天曷其有極肅肅鴇
行集于苞桑王事靡盬不能蓺稻
粱父母何嘗悠悠蒼天曷其有常
鴇羽

有杕之杜刺晉武公也武公寡特
兼其宗族而不求賢以自輔焉有
杕之杜生于道左彼君子兮噬肯
適我中心好之曷飲食之有杕之
杜生于道周彼君子兮噬肯來遊
中心好之曷飲食之
有杕之杜

采苓刺晉獻公也獻公好聽讒焉
采苓采苓首陽之巔人之為言苟
亦無信舍旃舍旃苟亦無然人之
為言胡得焉采苦采苦首陽之下
人之為言苟亦無與舍旃舍旃苟
亦無然人之為言胡得焉采葑采
葑首陽之東人之為言苟亦無從
舍旃舍旃苟亦無然人之為言胡
得焉
采苓

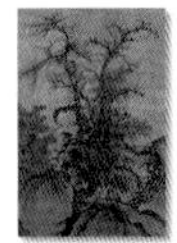

鹿鳴之什圖（局部）

南宋
馬和之
全圖高28、寬864厘米。
絹本，設色。
現藏故宮博物院。

壽不騫不崩如松柏之茂無不爾
或承
天保
采薇遣戍役也文王之時西有
昆夷之患北有玁狁之難以天
子之命命將率遣戍役以守衛
中國故歌采薇以遣之出車以
勞還杕杜以勤歸也采薇采薇

見君子憂心忡忡既見君子我心
則降赫赫南仲薄伐西戎春日遲
遲卉木萋萋倉庚喈喈采蘩祁祁
執訊獲醜薄言還歸赫赫南仲玁
狁于夷
出車

南陔孝子相戒以養也白華孝子
之絜白也華黍時和歲豐宜黍稷
也有其義而亡其辭
鹿鳴之什十篇

天保下報上也君能下下以成其政臣能歸美以報其上焉天保定爾亦孔之固俾爾單厚何福不除俾爾多益以莫不庶天保定爾俾爾戩穀罄無不宜受天百禄降爾遐福維日不足天保定爾以莫不興如山如阜如岡如陵如川之方至以莫不增吉蠲為饎是用孝享禴祠烝嘗于公先王君曰卜爾萬壽無疆神之弔矣詒爾多福民之質矣日用飲食羣黎百姓徧為爾

鹿鳴之什圖局部之一

出車勞還率也我出我車于彼牧矣自天子所謂我來矣召彼僕夫謂之載矣王事多難維其棘矣我出我車于彼郊矣設此旐矣建彼旄矣彼旟旐斯胡不旆旆憂心悄悄僕夫況瘁王命南仲往城于方出車彭彭旂旐央央天子命我城彼朔方赫赫南仲玁狁于襄昔我往矣黍稷方華今我來思雨雪載塗王事多難不遑啓居豈不懷歸

鹿鳴之什圖局部之二

魚麗美萬物盛多能備禮也文武以天保以上治內采薇以下治外始於憂勤終於逸樂故美萬物盛多可以告於神明矣魚麗于罶鱨鯊君子有酒旨且多魚麗于罶魴鱧君子有酒多且旨魚麗于罶鰋鯉君子有酒旨且有物其多矣維其嘉矣物其旨矣維其偕矣物其有矣維其時矣

魚麗

鹿鳴之什圖局部之三

鴟鴞周公救亂也成王未知周公之志公乃為詩以遺王名之曰鴟鴞焉鴟鴞鴟鴞既取我子無毀我室恩斯勤斯鬻子之閔斯迨天之未陰雨徹彼桑土綢繆牖戶今女下民或敢侮予予手拮据予所捋荼予所蓄租予口卒瘏曰予未有室家予羽譙譙予尾翛翛予室翹翹風雨所漂搖予維音嘵嘵

鴟鴞

豳風圖（局部）

南宋

馬和之

全圖高25.7、寬557.5厘米。

絹本，設色。

現藏故宮博物院。

後赤壁賦圖

南宋
馬和之
高25.9、寬143厘米。
絹本，水墨淡設色。
現藏故宮博物院。

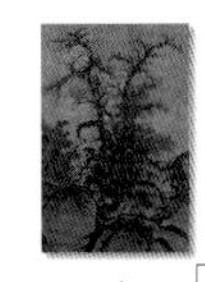

趙　黻

南宋畫家。鎮江（今屬江蘇）人。善作山水，筆墨縱橫，別具一格。

長江萬里圖

南宋

趙黻

高45.1、寬992.5厘米。

紙本，水墨。

現藏故宮博物院。

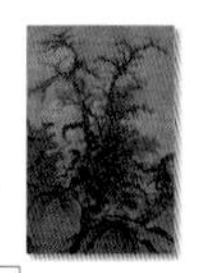

長江萬里圖之一

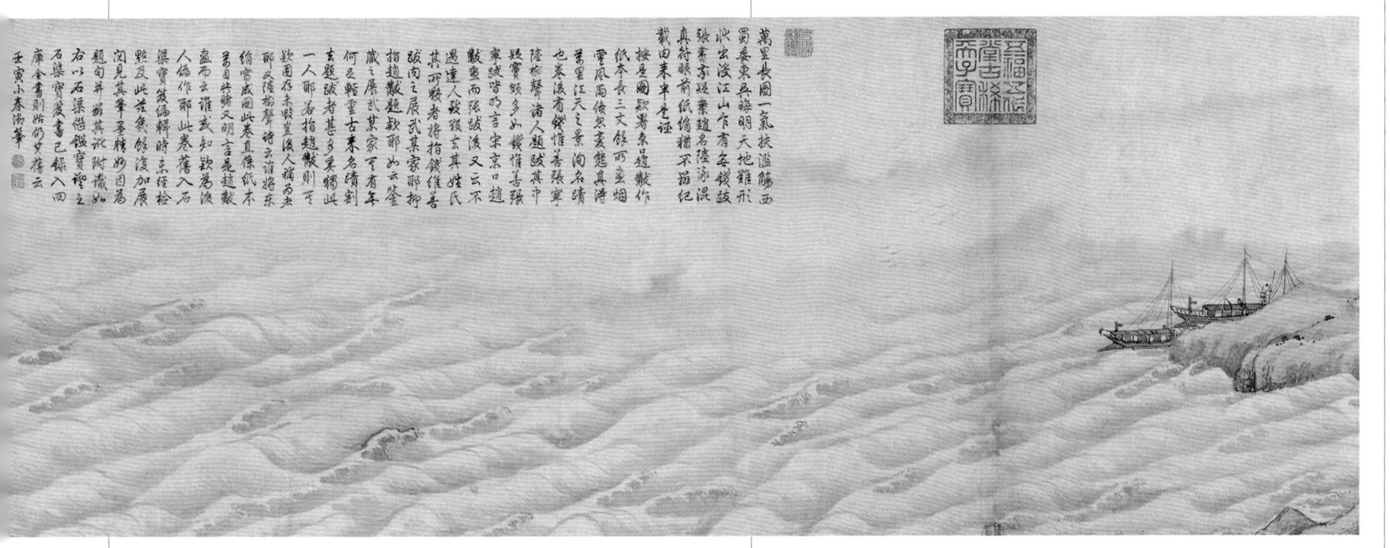

長江萬里圖之二

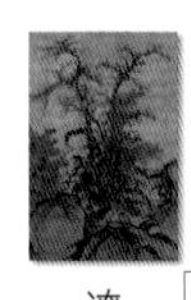

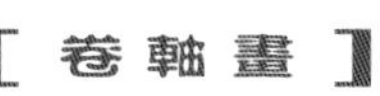

長江萬里圖之三

長江萬里圖之四

長江萬里圖之五

閻次平

南宋畫家。河東（今山西永濟西）人。孝宗時任畫院祗候，授將仕郎。擅繪山水、人物，尤工畫牛，形神生動。

四季牧牛圖

南宋
閻次平
每幅高35、寬99.7厘米。
絹本，水墨淡設色。
現藏南京博物院。

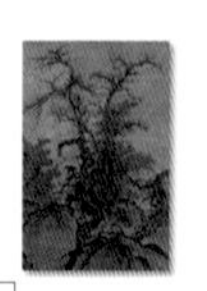

四季牧牛圖之一

四季牧牛圖之二

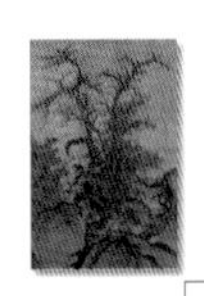

四季牧牛圖之三

四季牧牛圖之四

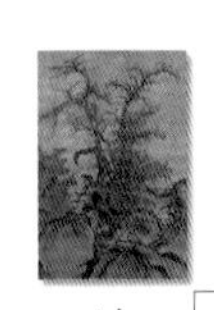

李　迪

南宋畫家。河陽（今河南孟州南）人。供職于孝宗、光宗、寧宗三朝畫院。工書善畫，長于花鳥、竹石，間作山水小景。

秋野牧牛圖

南宋
閻次平（傳）
高97.5、寬50.6厘米。
絹本，設色。
現藏日本京都泉屋博古館。

雪樹寒禽圖

南宋
李迪
高116.1、寬53厘米。
絹本，設色。
現藏上海博物館。

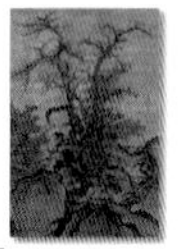

鷄雛待飼圖

南宋
李迪
高23.7、寬24.6厘米。
絹本，設色。
現藏故宮博物院。

獵犬圖

南宋
李迪
高26.5、寬26.9厘米。
絹本，設色。
現藏故宮博物院。

紅白芙蓉圖

南宋

李迪

各高25.2、寬25.5厘米。

絹本，設色。

現藏日本東京國立博物館。

紅白芙蓉圖之一

紅白芙蓉圖之二

風雨歸牧圖

南宋

李迪

高120.8、寬102.8厘米。

絹本，設色。

現藏臺北故宮博物院。

楓鷹雉鷄圖

南宋

李迪

高189.4、寬210厘米。

絹本，設色。

現藏故宮博物院。

林　椿

南宋畫家。錢塘（今浙江杭州）人。孝宗淳熙間爲畫院待詔。工畫花卉、翎毛，師法趙昌，用筆細緻。

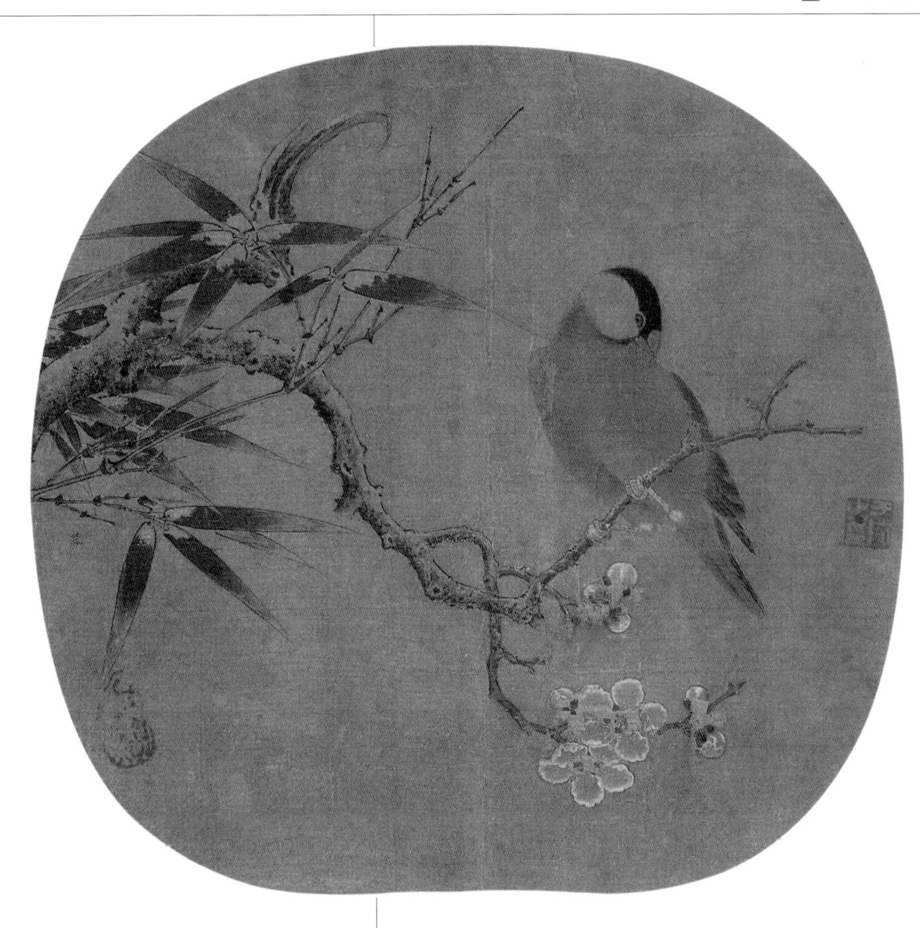

梅竹寒禽圖

南宋
林椿
高24.8、寬26.9厘米。
絹本，設色。
現藏上海博物館。

果熟來禽圖

南宋
林椿
高26.5、寬27厘米。
絹本，設色。
現藏故宮博物院。

毛　益

南宋畫家。昆山（今屬江蘇）人，一作沛縣（今屬江蘇）人。毛松之子。孝宗乾道時爲畫院待詔。工畫翎毛花竹，以渲染見長。

牧牛圖

南宋

毛益（傳）

高26.2、寬73厘米。

紙本，水墨。

現藏故宮博物院。

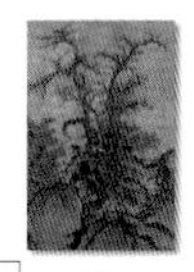

李 □

南宋畫家。舒城（今屬安徽）人。活動于孝宗時期（公元1163–1189年）。

瀟湘卧游圖

南宋

李□

高30.3、寬400.4厘米。

紙本，水墨。

現藏日本東京國立博物館。

瀟湘卧游圖之一

瀟湘卧游圖之二

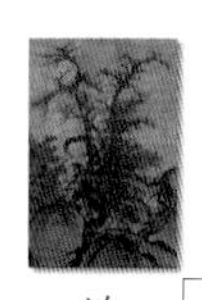

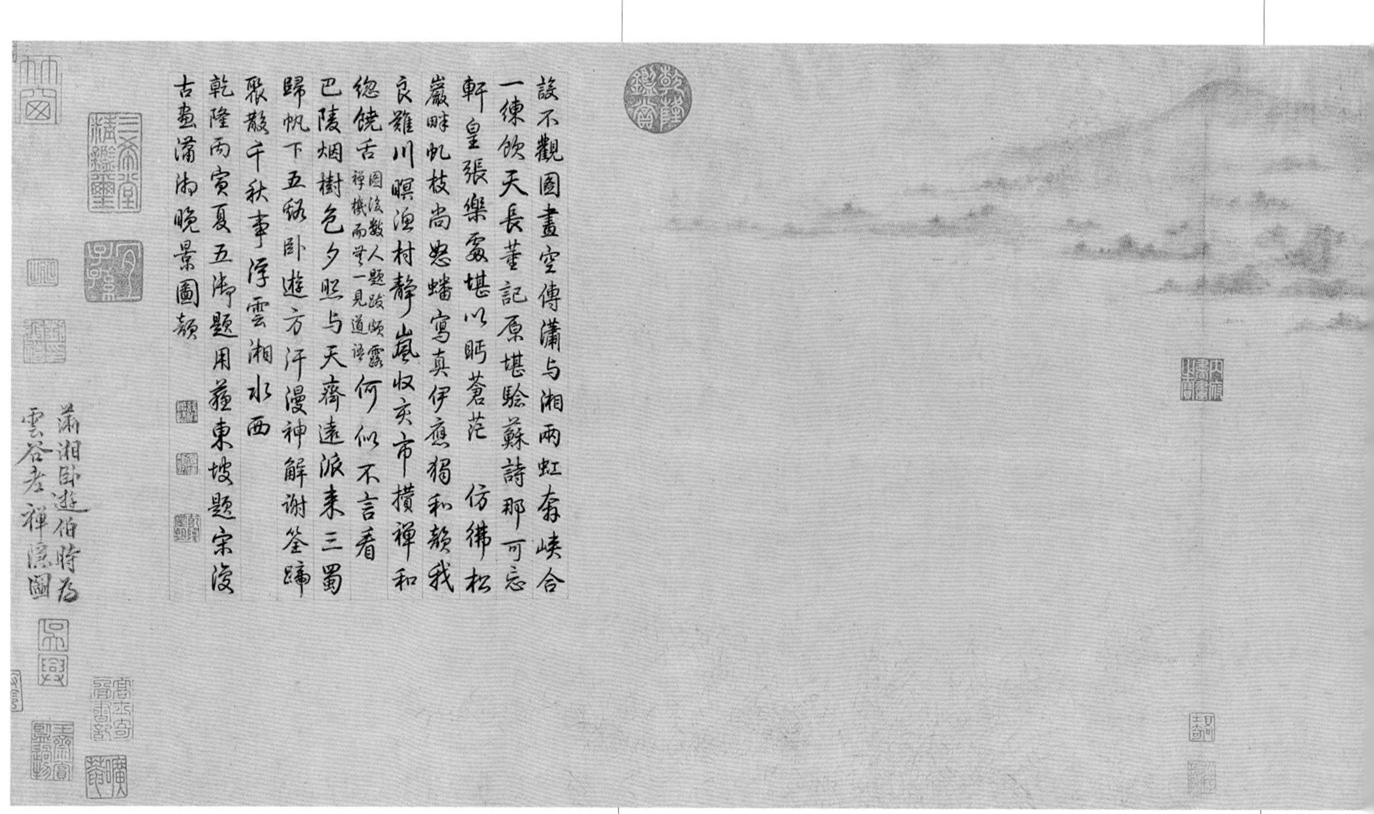
詎不觀圖畫空傳瀟与湘兩虹奔峡合
一練飲天長董記原堪驗蘇詩那可忘
軒皇張樂處堪以眄蒼茫 彷彿松
巖畔帆枝尚虬蟠寫真伊庶獨和韻我
良難川暝漁村靜嵐收亥市攢禪和
總饒舌 何似不言看
巴陵烟樹色夕照与天齊遠派來三蜀
歸帆下五溪卧遊方汗漫神解謝筌蹄
聚散千秋事浮雲湘水西
乾隆丙寅夏五御題用蘇東坡題宋復
古畫瀟湘晚景圖韻
瀟湘卧遊

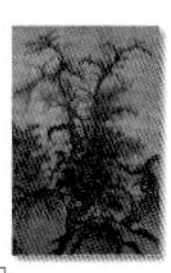

瀟湘卧游圖之三

瀟湘卧游圖之四

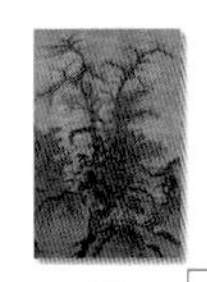

劉松年

南宋畫家。錢塘（今浙江杭州）人。孝宗淳熙年間爲宮廷畫院學生，光宗紹熙時爲待詔。工畫山水、人物、界畫，師法張敦禮。

羅漢圖

南宋
劉松年
高118、寬55.8厘米。
絹本，設色。
現藏臺北故宫博物院。

羅漢圖之一

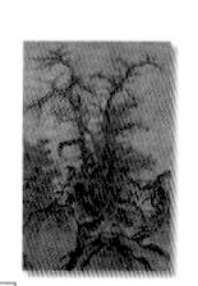

羅漢圖之二

羅漢圖之三

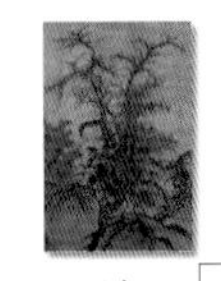

四景山水圖

南宋

劉松年

每幅高41.4、寬67.9–69.5厘米。

絹本，設色。

現藏故宮博物院。

四景山水圖之一

四景山水圖之二

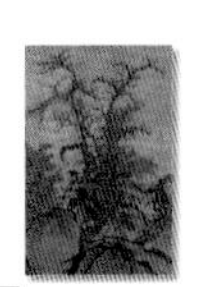

四景山水圖之三

四景山水圖之四

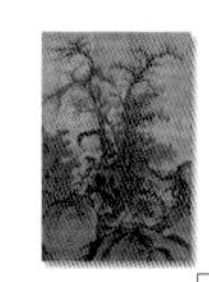

雪山行旅圖

南宋
劉松年
高160、寬99.5厘米。
絹本，設色。
現藏四川博物院。

徐禹功（公元1141－?年）

南宋畫家。江南西路（今江西）人。自號辛酉人。工畫梅竹，師揚無咎。

雪中梅竹圖

南宋
徐禹功
高30、寬122厘米。
絹本，水墨。
現藏遼寧省博物館。

吴 炳

南宋畫家。常州（今屬江蘇）人。紹熙年間畫院待詔。工畫花鳥、寫生折枝，妙奪造化，彩繪精緻富麗，謹守院體畫風。

竹雀圖

南宋
吴炳
高24.9、寬25厘米。
絹本，設色。
現藏上海博物館。

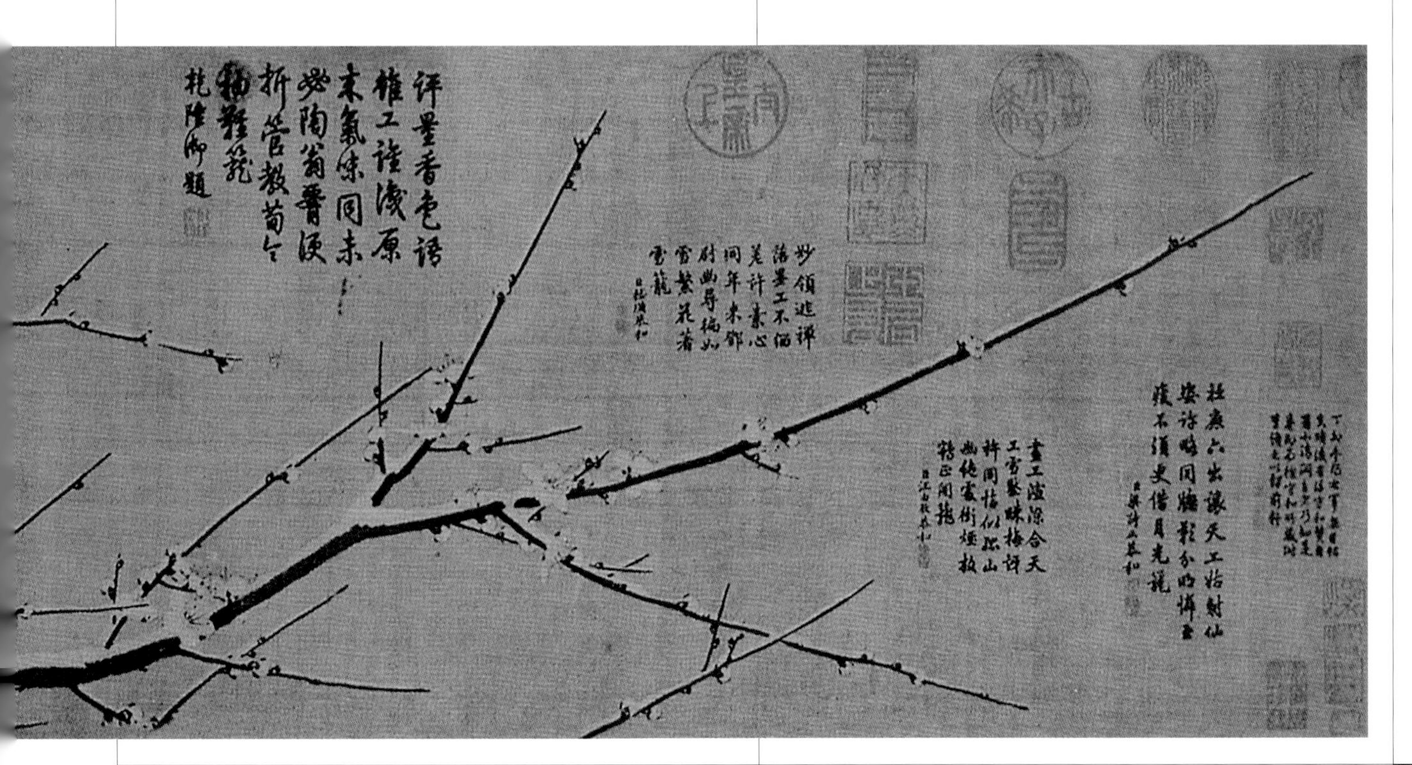

李　嵩（約公元1166－1243年）

南宋畫家。錢塘（今浙江杭州）人。早年爲木工，後爲畫院待詔李從訓養子，隨其習畫。歷任光宗、寧宗、理宗三朝畫院待詔。善作人物、佛道，尤善界畫。

貨郎圖

南宋

李嵩

高25.5、寬70.4厘米。

絹本，水墨淡設色。

現藏故宫博物院。

骷髏幻戲圖

南宋

李嵩

高27、寬26.3厘米。

絹本，設色。

現藏故宮博物院。

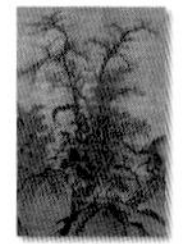

夜月觀潮圖

南宋
李嵩
高22.3、寬22厘米。
絹本，設色。
現藏臺北故宮博物院。

花籃圖

南宋
李嵩
高19.1、寬26.5厘米。
絹本，設色。
現藏故宮博物院。

西湖圖

南宋

李嵩

高27、寬80.7厘米。

紙本，水墨。

現藏上海博物館。

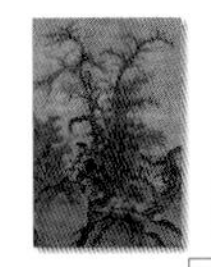

馬 遠

南宋畫家。祖籍河中（今山西永濟西），出生于錢塘（今浙江杭州）。字遥父，號欽山。光宗、寧宗朝爲畫院待詔。始師李唐，後獨闢蹊徑，自成一家。以山水見長，山石以帶水筆作大斧劈皴，方硬有棱角；樹幹用焦墨，多横斜曲折之態。在構圖方面，善于將複雜的景色給以高度的集中和概括，喜作"一角"之景。又工畫水，兼精人物、花鳥。其山水畫風對南宋中後期及後世畫家有很大影響。

梅石溪鳧圖

南宋

馬遠

高26.7、寬28.6厘米。

絹本，設色。

現藏故宫博物院。

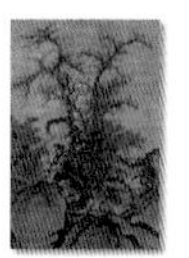

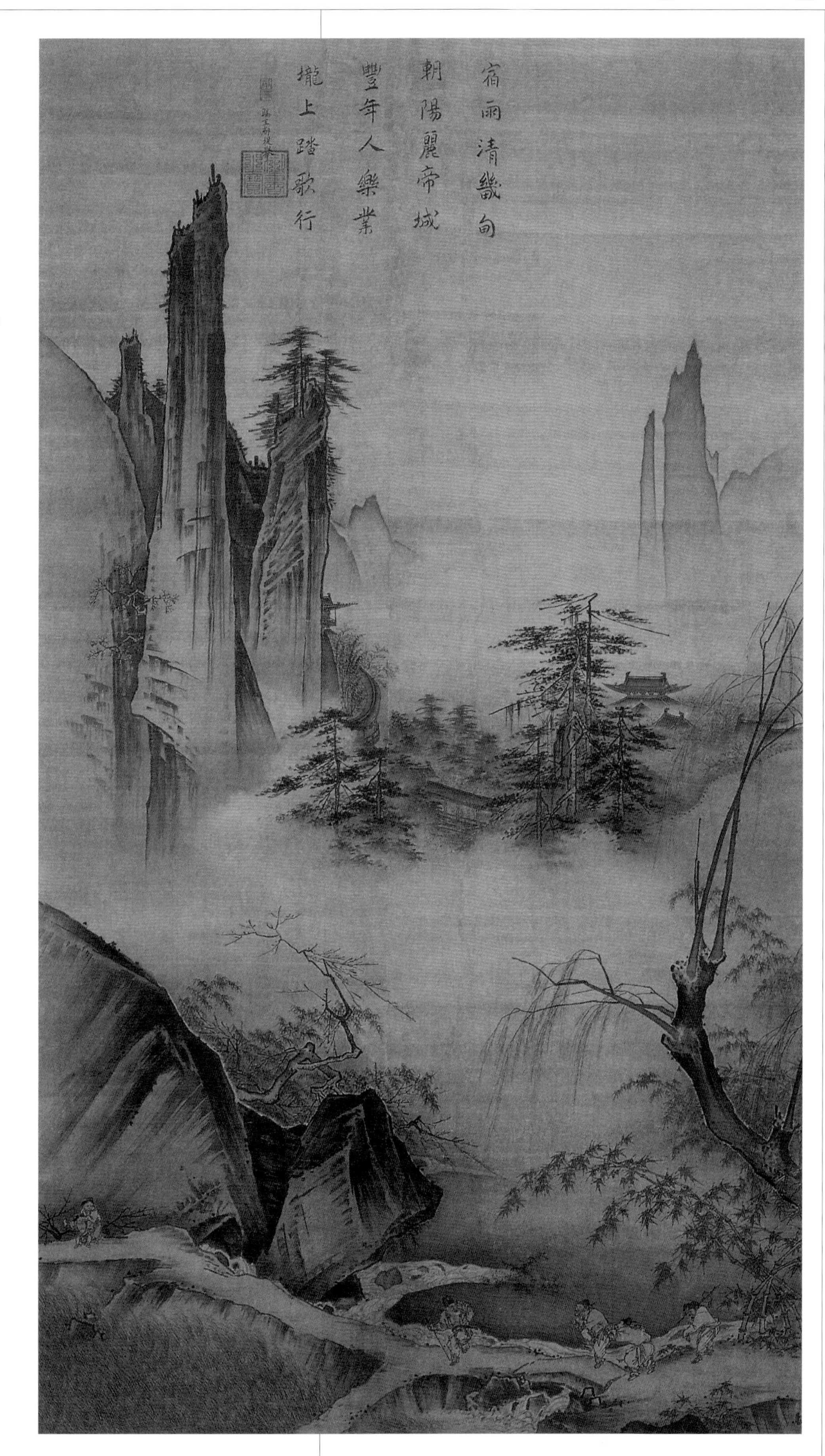
宿雨清畿甸
朝陽麗帝城
豐年人樂業
壠上踏歌行

踏歌圖

南宋

馬遠

高192.5、寬111厘米。

絹本，設色。

現藏故宮博物院。

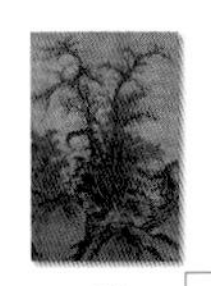

雪灘雙鷺圖

南宋

馬遠

高59、寬37.6厘米。

絹本，設色。

現藏臺北故宫博物院。

乘龍圖

南宋

馬遠

高108.1、寬52.6厘米。

絹本，設色。

現藏臺北故宫博物院。

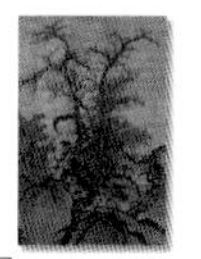

華燈侍宴圖

南宋
馬遠
高111.9、寬53.5厘米。
絹本，設色。
現藏臺北故宮博物院。

洞山渡水圖

南宋
馬遠
高77.6、寬33厘米。
絹本，水墨淡設色。
現藏日本東京國立博物館。

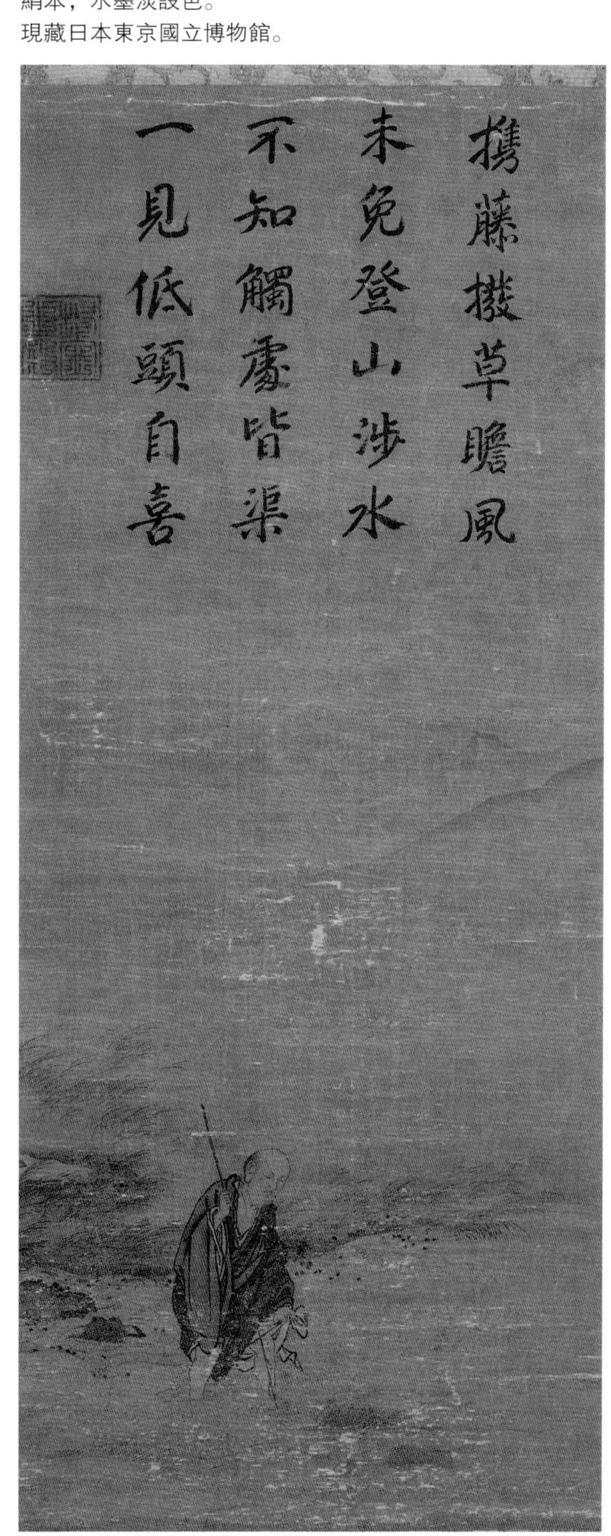

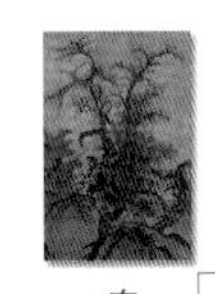

十二水圖（選四幅）

南宋

馬遠

均高26.8、寬41.6厘米。

絹本，設色。

現藏故宮博物院。

十二水圖之一

十二水圖之二

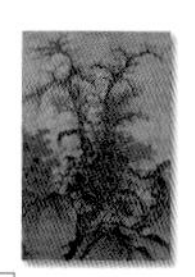

十二水圖之三

十二水圖之四

西園雅集圖

南宋

馬遠

高29.3、寬302.3厘米。

絹本，設色。

現藏美國堪薩斯納爾遜-艾金斯美術館。

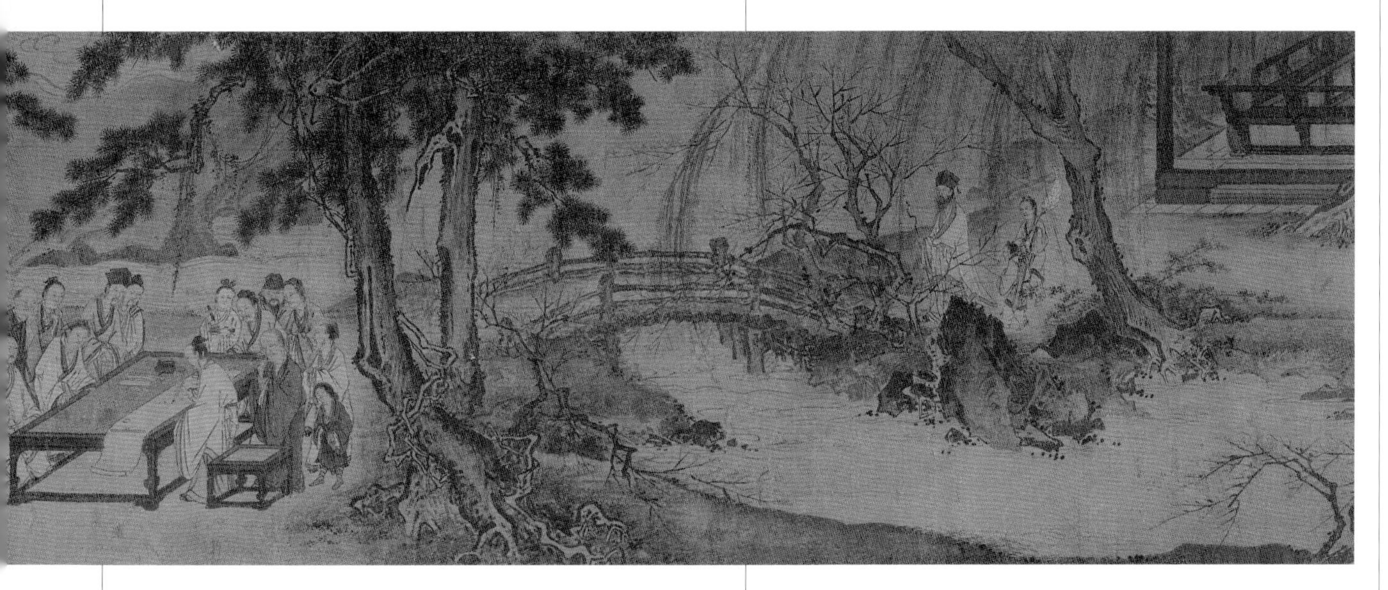

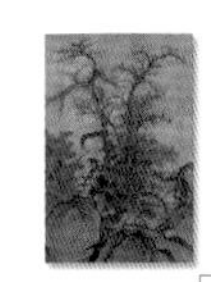

孔子像

南宋
馬遠
高27.7、寬23.2厘米。
絹本，設色。
現藏故宮博物院。

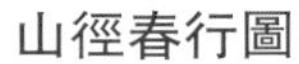

山徑春行圖

南宋
馬遠
高27.4、寬43.1厘米。
絹本，設色。
現藏臺北故宮博物院。

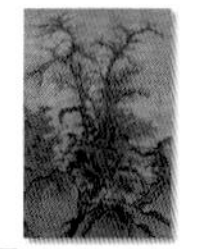

白薔薇圖

南宋
馬遠
高26.2、寬25.8厘米。
絹本，設色。
現藏故宮博物院。

夏　圭

南宋畫家。錢塘（今浙江杭州）人。字禹玉。寧宗朝爲畫院待詔。初學人物，後以山水畫著稱。師承范寬、李唐，又自成風格。他與馬遠同時，號稱“馬夏”。畫山石用秃筆帶水作大斧劈皴，簡勁蒼老而墨氣明潤。構圖常取半邊，焦點集中，别具一格。其畫風對當時和後世的山水畫頗有影響。

松溪泛月圖

南宋
夏圭
高24.7、寬25.2厘米。
絹本，設色。
現藏故宮博物院。

烟岫林居圖

南宋
夏圭
高25、寬26.1厘米。
絹本，水墨。
現藏故宫博物院。

雪堂客話圖

南宋
夏圭
高28.2、寬29.5厘米。
絹本，設色。
現藏故宫博物院。

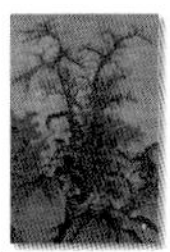

松崖客話圖

南宋
夏圭
高27、寬39厘米。
絹本，設色。
現藏臺北故宮博物院。

梧竹溪堂圖

南宋
夏圭
高23、寬26厘米。
絹本，水墨淡設色。
現藏故宮博物院。

山水十二景圖（局部）

南宋
夏圭
全圖高28、寬230.8厘米。
絹本，設色。
現藏美國堪薩斯納爾遜－艾金斯美術館。

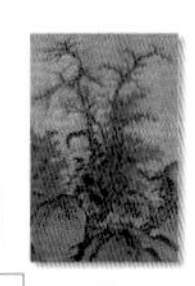

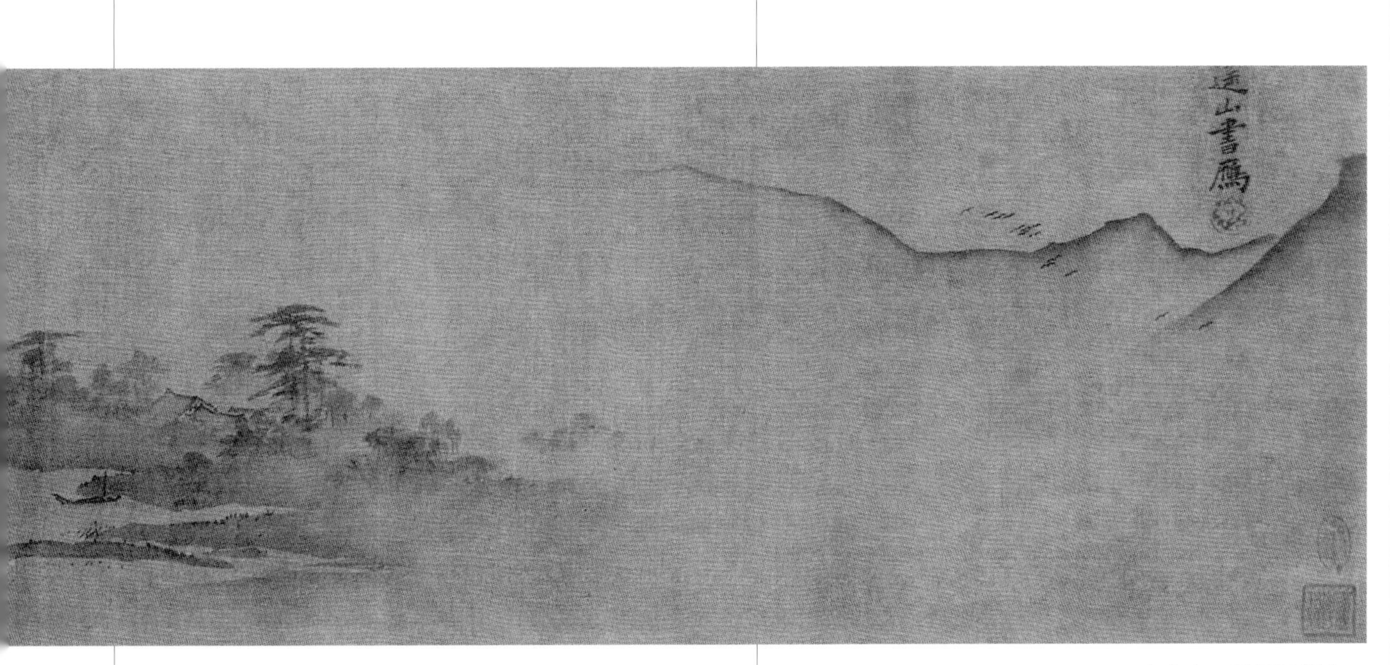

山水十二景圖局部之一

山水十二景圖局部之二

溪山清遠圖

南宋

夏圭

高46.5、寬889厘米。

紙本，水墨。

現藏臺北故宮博物院。

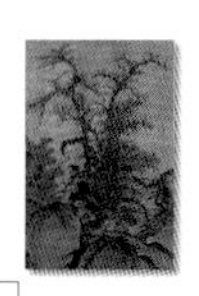

溪山清遠圖之一

溪山清遠圖之二

溪山清遠圖之三

溪山清遠圖之四

洞庭秋月圖

南宋

夏圭

高155.1、寬107.4厘米。

絹本，設色。

現藏美國華盛頓弗利爾美術館。

梁　楷

南宋畫家。東平（今屬山東）人，居錢塘（今浙江杭州）。寧宗嘉泰年間授畫院待詔，賜金帶，不受。性格豪放不羈，人稱“梁風（瘋）子”。善畫人物、山水、道釋和花鳥。他繼承五代宋初畫家石恪的畫法，自出新意，創“减筆”畫法，對後世影響極大。

出山釋迦圖

南宋

梁楷

高119、寬52厘米。

絹本，設色。

現藏日本東京國立博物館。

雪景山水圖

南宋
梁楷
高111、寬50厘米。
絹本，水墨淡設色。
現藏日本東京國立博物館。

六祖截竹圖

南宋
梁楷
高72.7、寬31.8厘米。
紙本，水墨。
現藏日本東京國立博物館。

八高僧故事圖（選三段）

南宋

梁楷

每段高26.6、寬約64厘米。

絹本，設色。

現藏上海博物館。

八高僧故事圖之一

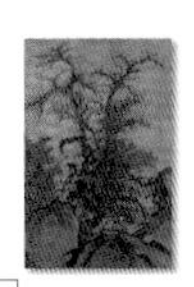

八高僧故事圖之二

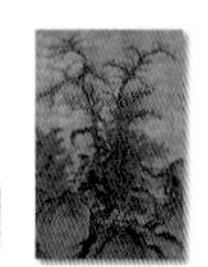

八高僧故事圖之三

雪棧行騎圖

南宋
梁楷
高23.5、寬24.2厘米。
絹本，水墨。
現藏故宮博物院。

柳溪臥笛圖

南宋
梁楷
高26.3、寬26.3厘米。
絹本，水墨。
現藏故宮博物院。

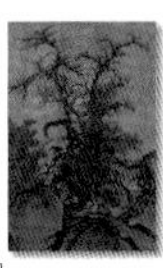

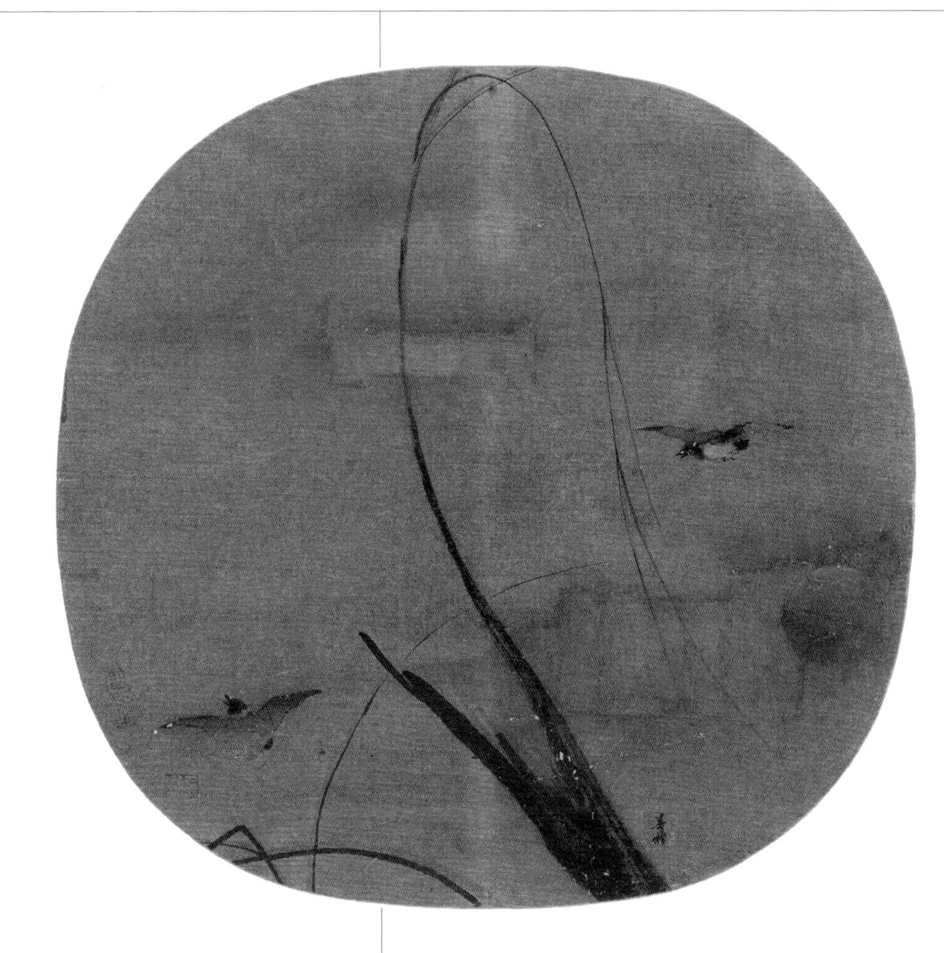

秋柳雙鴉圖

南宋
梁楷
高24.7、寬25.7厘米。
絹本，設色。
現藏故宫博物院。

疏柳寒鴉圖

南宋
梁楷
高22.4、寬24.2厘米。
絹本，設色。
現藏故宫博物院。

潑墨仙人圖

南宋

梁楷

高48.7、寬27.7厘米。

紙本，水墨。

現藏臺北故宮博物院。

李白行吟圖

南宋

梁楷（傳）

高80.9、寬30.4厘米。

紙本，水墨。

現藏日本東京國立博物館。

張 茂

南宋畫家。仁和（今浙江杭州）人。字如松。工山水、花鳥，小景尤佳。

雙鴛鴦圖

南宋
張茂
高24.4、寬18.3厘米。
絹本，設色。
現藏故宫博物院。

楊婕妤

南宋女畫家。即畫史所稱之“楊妹子”。南宋寧宗楊皇后之妹。工詩，擅書畫。畫爲南宋院體，色彩艷麗。

百花圖（局部）

南宋
楊婕妤
全圖高24、寬324厘米。
絹本，設色。
現藏吉林省博物院。

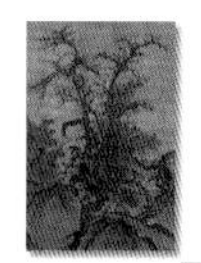

於青言

南宋畫家。一作於清言，常州（今屬江蘇）人。字子明。工寫荷花，人稱“於荷”。

蓮池水禽圖

南宋
於青言
各高122、寬73.8厘米。
絹本，設色。
現藏日本京都知恩院。

蓮池水禽圖之一

蓮池水禽圖之二

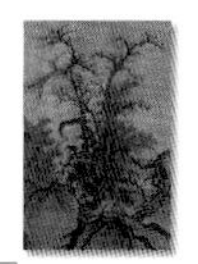

陳居中

南宋畫家。寧宗嘉泰時爲畫院待詔。工書善畫，長于人物、番馬和動物。

四羊圖

南宋
陳居中
高22.5、寬24厘米。
絹本，水墨淡設色。
現藏故宫博物院。

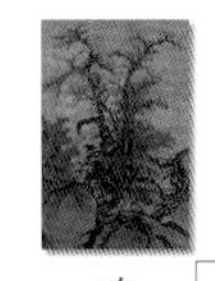

文姬歸漢圖

南宋

陳居中（傳）

高147.4、寬107.7厘米。

絹本，設色。

現藏臺北故宮博物院。

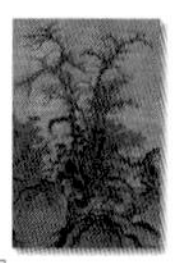

馬　麟

南宋畫家。原籍河中（今山西永濟西），南渡後三代居錢塘（今浙江杭州）。馬遠之子。理宗時爲畫院祇候。工書善畫，宗父筆。長于山水、人物，兼畫花鳥。

静聽松風圖

南宋
馬麟
高226.6、寬110.3厘米。
絹本，設色。
現藏臺北故宮博物院。

芳春雨霽圖

南宋

馬麟

高27.5、寬41.6厘米。

絹本，設色。

現藏臺北故宫博物院。

樓臺夜月圖

南宋

馬麟

高24.5、寬25.2厘米。

絹本，設色。

現藏上海博物館。

秉燭夜游圖
南宋
馬麟
高24.8、寬35.2厘米。
絹本，設色。
現藏臺北故宫博物院。

橘綠圖
南宋
馬麟
高23、寬23.5厘米。
絹本，設色。
現藏故宫博物院。

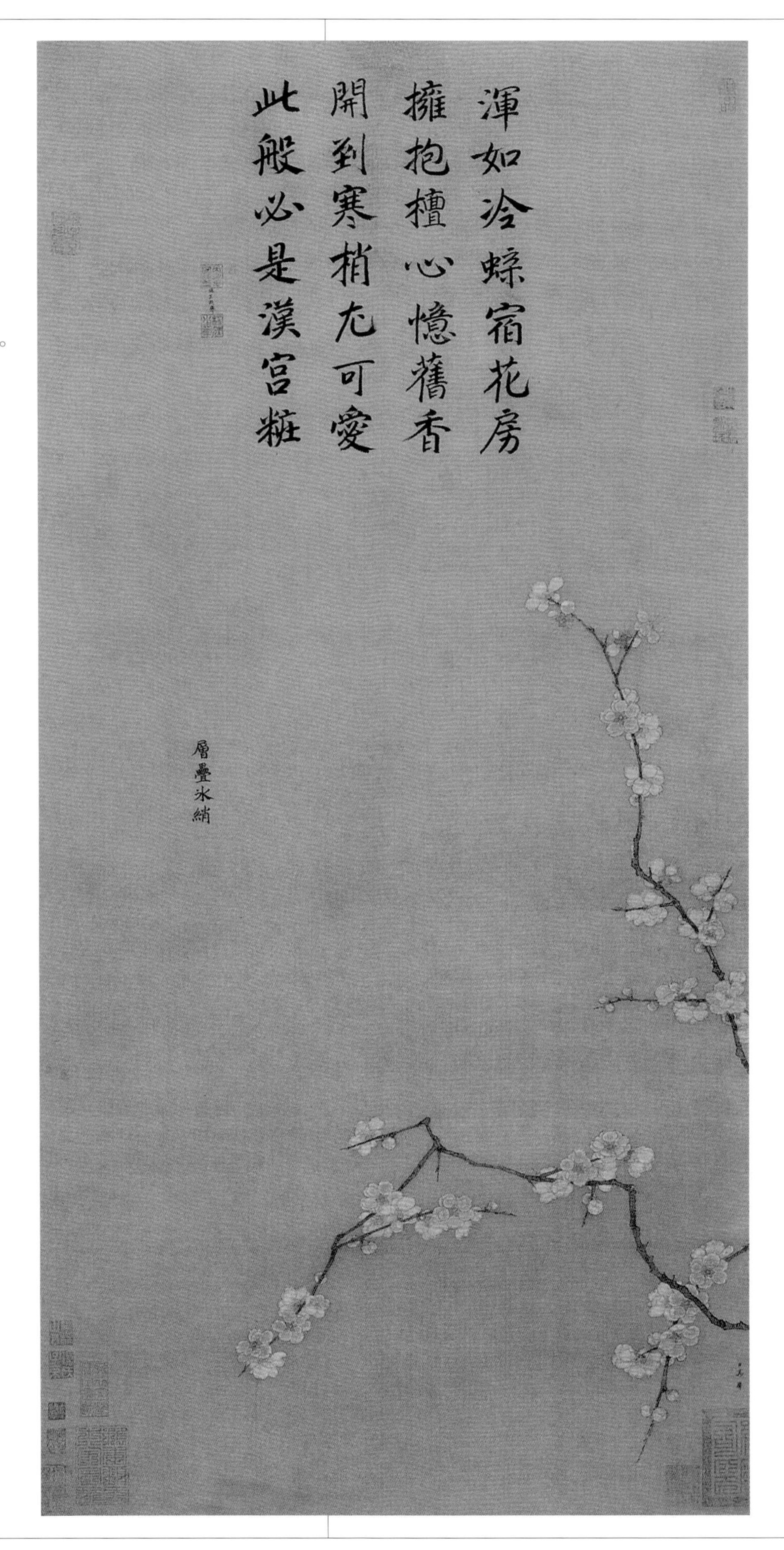

層疊冰綃圖

南宋

馬麟

高101.6、寬49.6厘米。

絹本，設色。

現藏故宮博物院。

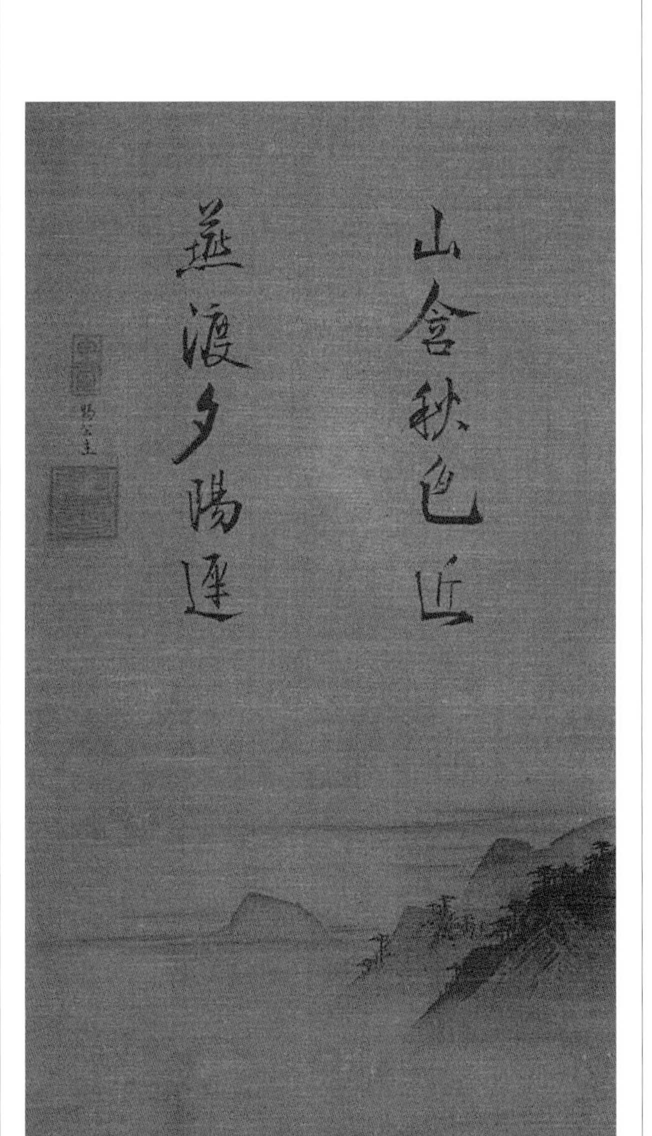

夕陽山水圖

南宋

馬麟

高51.5、寬26.6厘米。

絹本，水墨淡設色。

現藏日本東京根津美術院。

禹王像

南宋

馬麟

高249、寬111.3厘米。

絹本，設色。

現藏臺北故宮博物院。

禹
克勤于邦 烝民乃粒
歷數在躬 厥中允執
惡酒好言 九功由立
不伐不矜 振古莫及

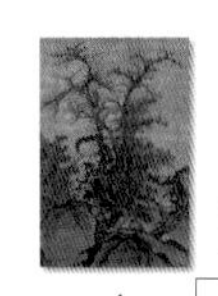

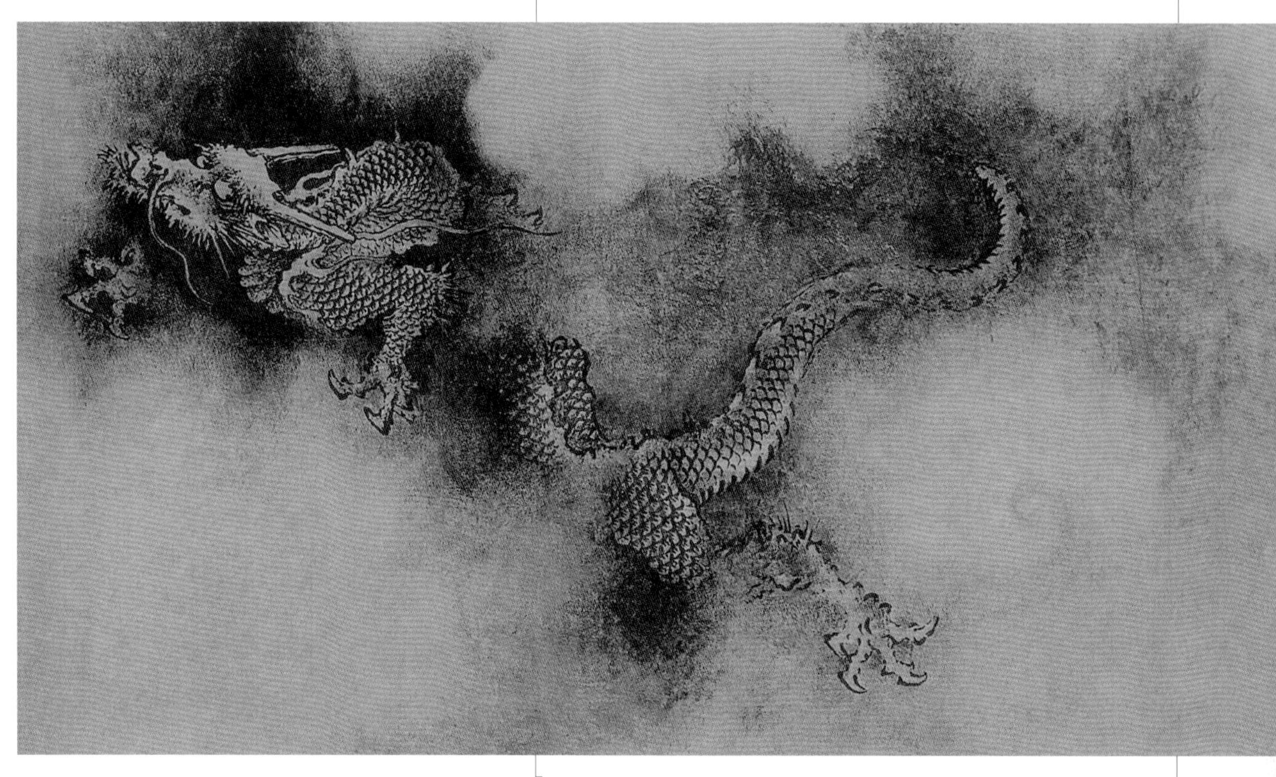

陳　容

南宋畫家。長樂（今屬福建）人。字公储，號所翁。南宋端平二年（公元1235年）進士。善畫龍，往往于醉後作畫，水墨淋漓，得龍之變化隱顯之態。亦能畫竹。

九龍圖（局部）

南宋

陳容

全圖高46.3、寬1096.5厘米。

紙本，水墨。

現藏美國波士頓美術館。

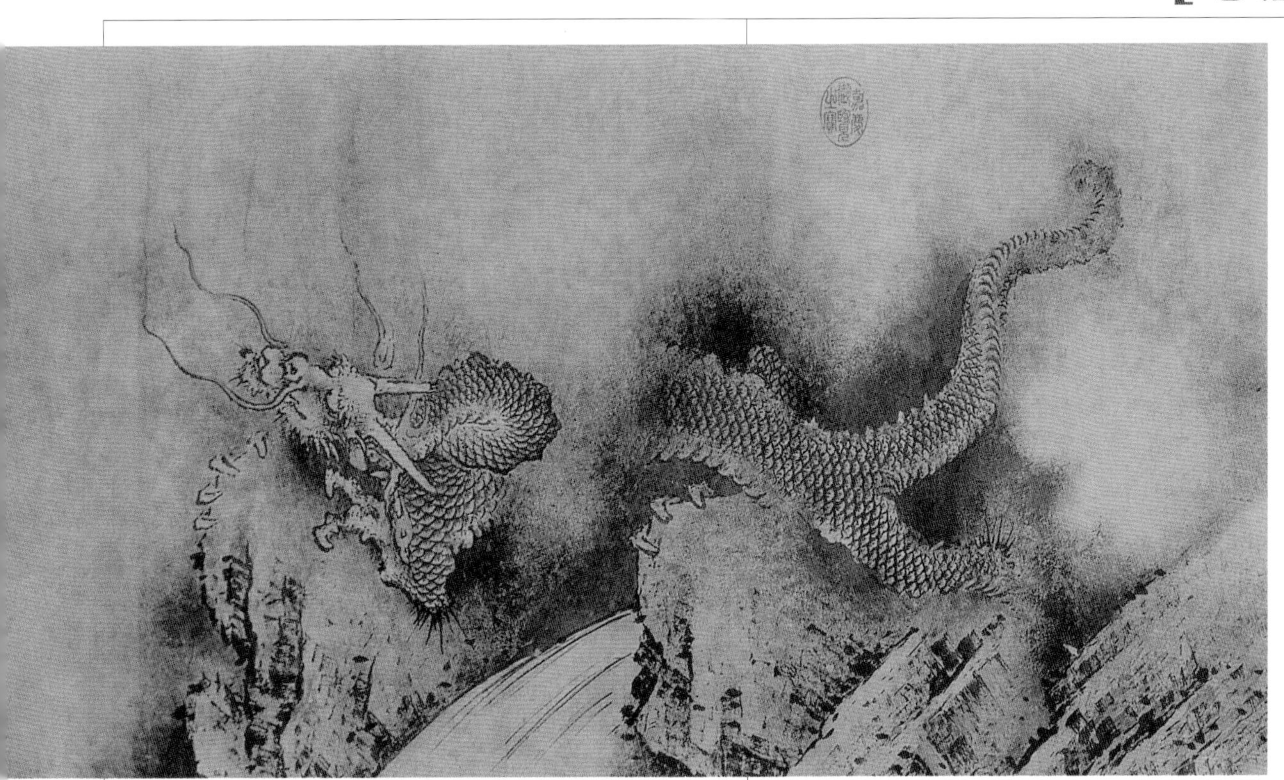

九龍圖局部之一

九龍圖局部之二

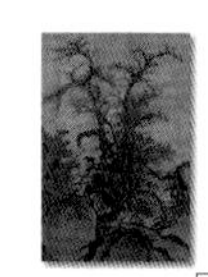

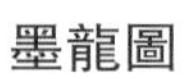

墨龍圖

南宋
陳容
高201.6、寬130.5厘米。
絹本，水墨。
現藏廣東省博物館。

墨龍圖

南宋
陳容
高34.3、寬50厘米。
絹本，水墨。
現藏故宮博物院。

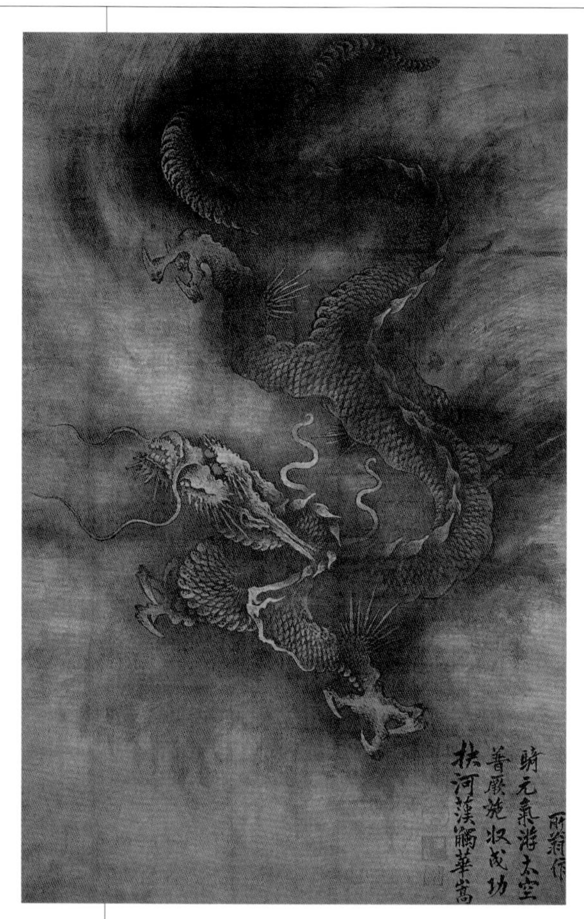

陳清波

南宋畫家。錢塘（今浙江杭州）人。理宗寶祐年間爲畫院待詔。善山水，多作西湖景。

湖山春曉圖

南宋
陳清波
高25、寬26.7厘米。
絹本，設色。
現藏故宫博物院。

宋汝志

南宋畫家。錢塘（今浙江杭州）人。號碧雲。景定年間爲畫院待詔，入元爲開元觀道士。工畫人物、山水、花鳥。

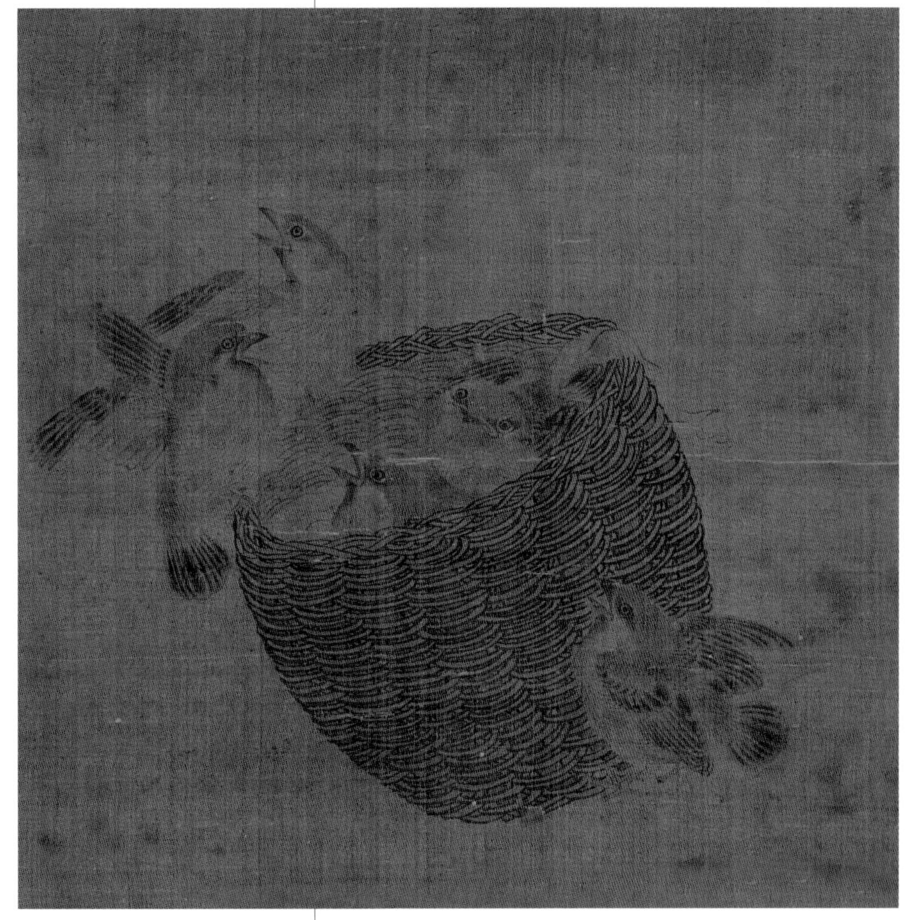

籠雀圖

南宋
宋汝志
高22、寬22厘米。
絹本，水墨淡設色。
現藏日本東京國立博物館。

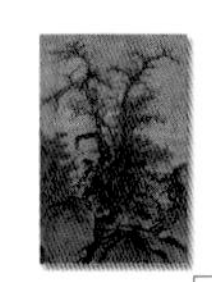

牧　谿

南宋畫家。蜀（今四川）人。在臨安（今浙江杭州）爲僧。俗姓李，僧號法常。擅畫龍虎禽鳥、山水人物等各種畫類，少有設色，畫法獨具一家，對後世頗有影響。

觀音圖

南宋
牧谿
高171.9、寬98.4厘米。
絹本，水墨淡設色。
現藏日本京都大德寺。

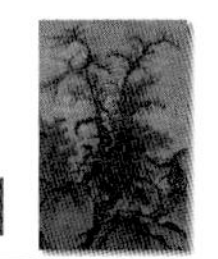

松猿圖

南宋

牧谿

高173.3、寬99.4厘米。

絹本，水墨。

現藏日本京都大德寺。

竹鶴圖

南宋

牧谿

高173.1、寬99.3厘米。

絹本，水墨淡設色。

現藏日本京都大德寺。

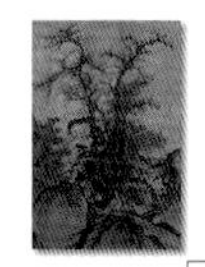

老子像

南宋

牧谿

高88.9、寬33.5厘米。

絹本，水墨。

現藏日本岡山縣立美術館。

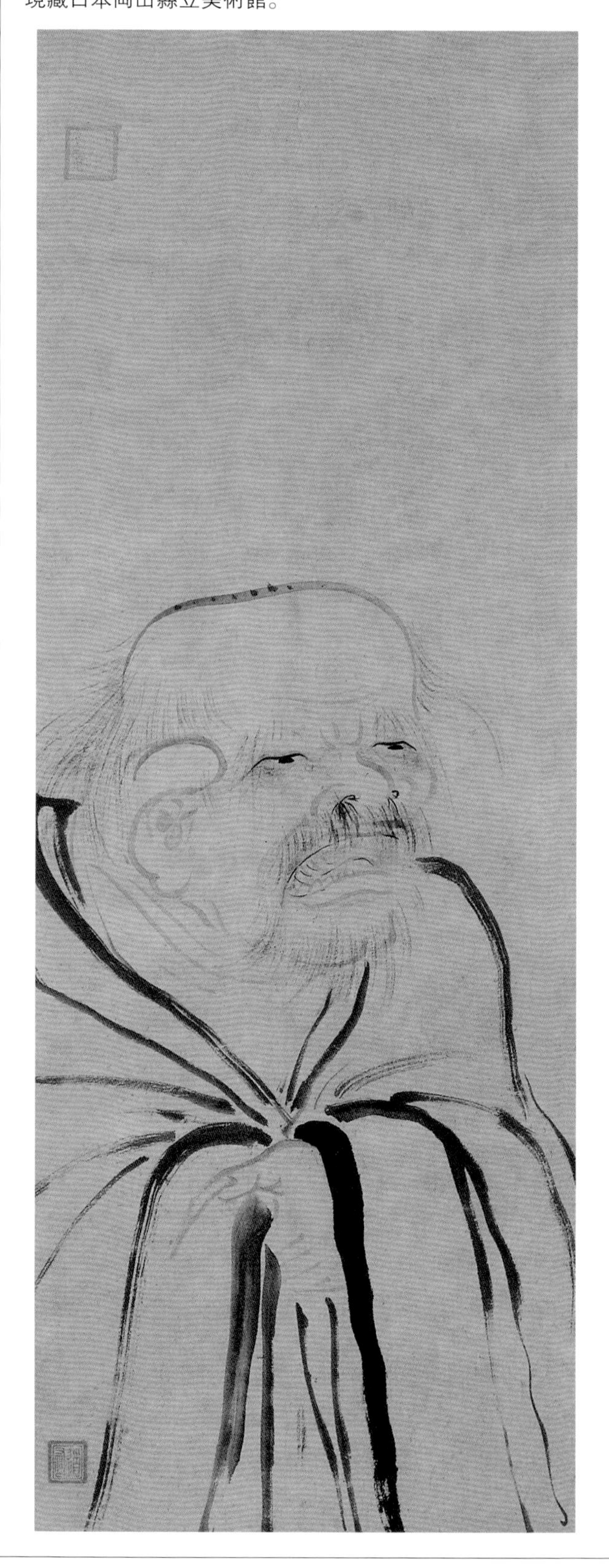

羅漢圖

南宋

牧谿

高106.1、寬52.4厘米。

絹本，水墨淡設色。

現藏日本東京靜嘉堂文庫美術館。

何 筌

南宋畫家。生平事迹不詳。

草堂客話圖

南宋
何筌
高23、寬24厘米。
絹本，設色。
現藏故宮博物院。

李 東

南宋畫家。主要活動于宋理宗時期（公元1224–1264年）。長于民間風俗畫。

雪江賣魚圖

南宋
李東
高23.6、寬25.2厘米。
絹本，水墨。
現藏故宮博物院。

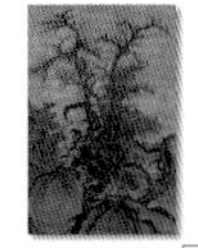

趙　葵（公元1186－1266年）

南宋畫家。衡山（今屬湖南）人。字南仲，號信庵。宋宗室。官至武安軍節度使，封冀國公。生平好詩文，工書善畫。

杜甫詩意圖

南宋
趙葵
高24.7、寬212.2厘米。
絹本，水墨。
現藏上海博物館。

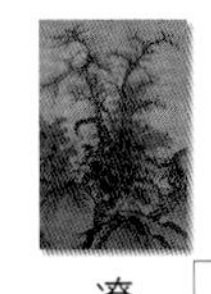

牟　益（公元1187－?年）

南宋畫家。客蜀（今四川），原籍不詳。字德新。善畫人物、山水，尤善仕女。

搗衣圖

南宋

牟益

高27.1、寬266.4厘米。

紙本，水墨。

現藏臺北故宮博物院。

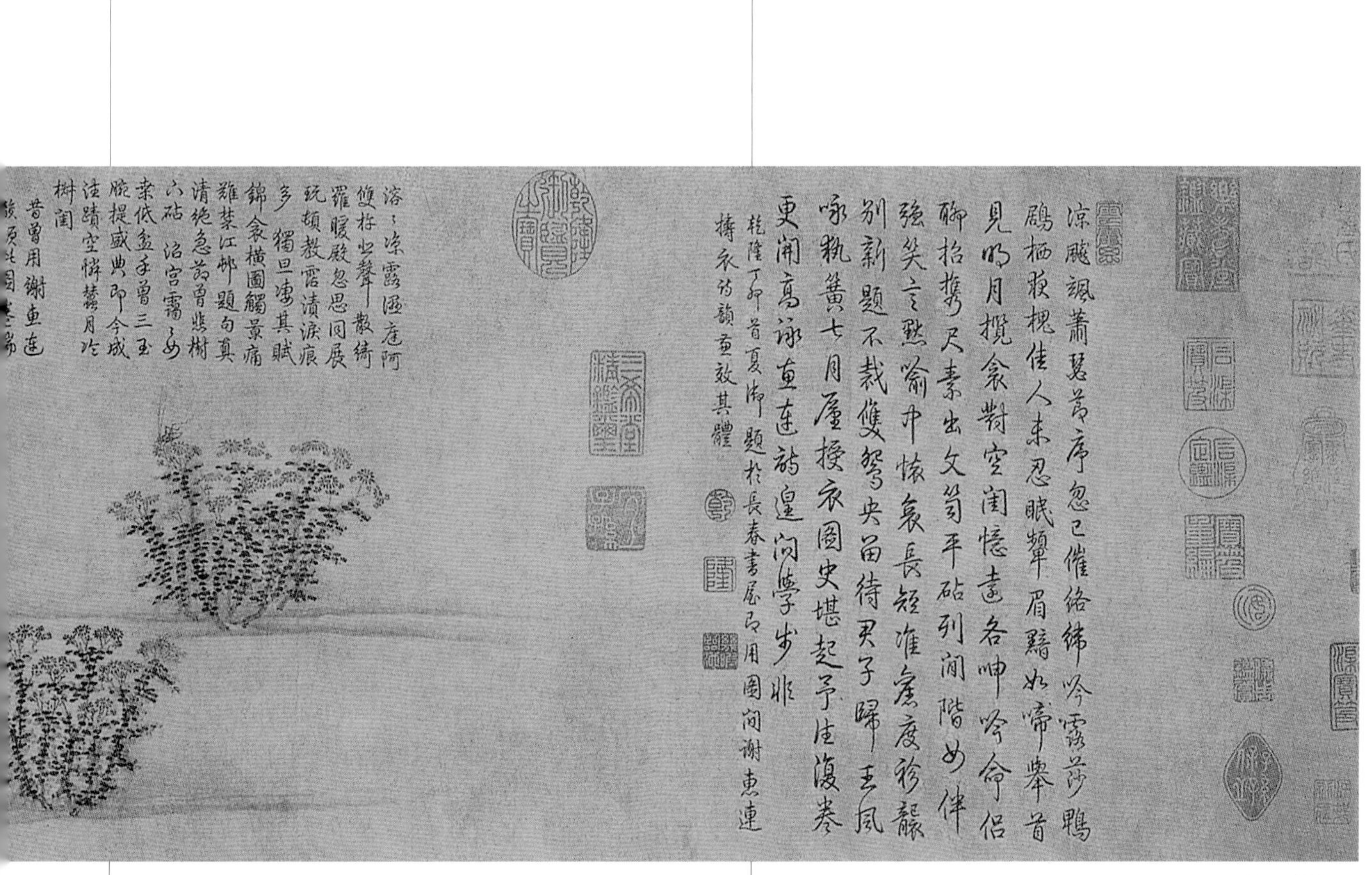

搗衣圖之一

搗衣圖之二

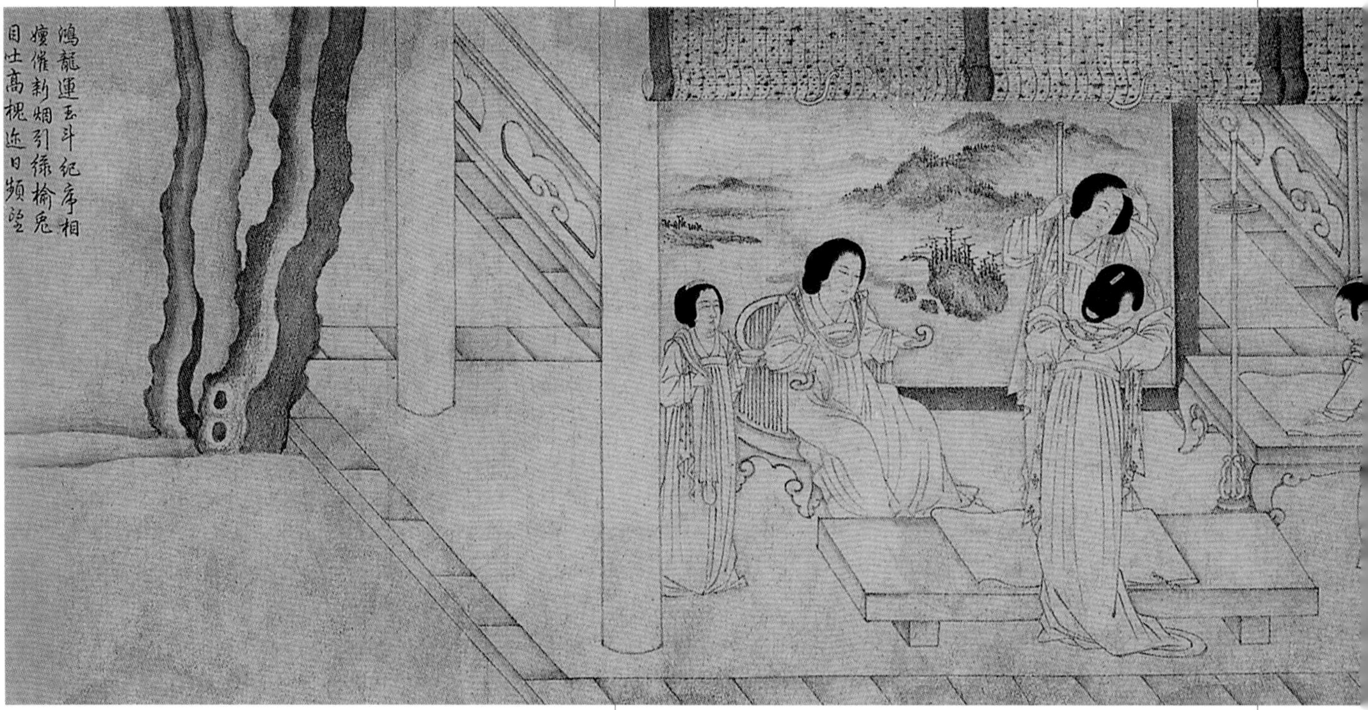
鴻龍運玉斗紀序相
蟾催新娟引綠榆兔
目吐高槐近日頻望

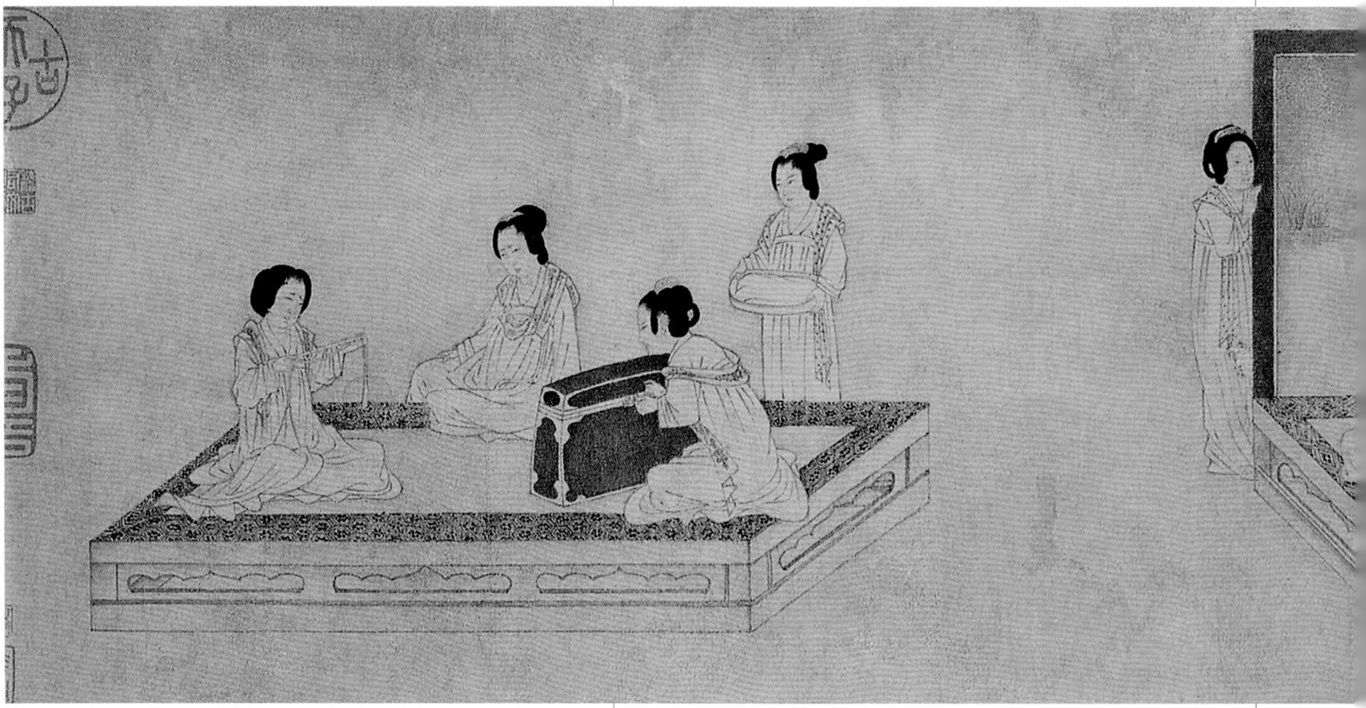

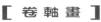

搗衣圖之三

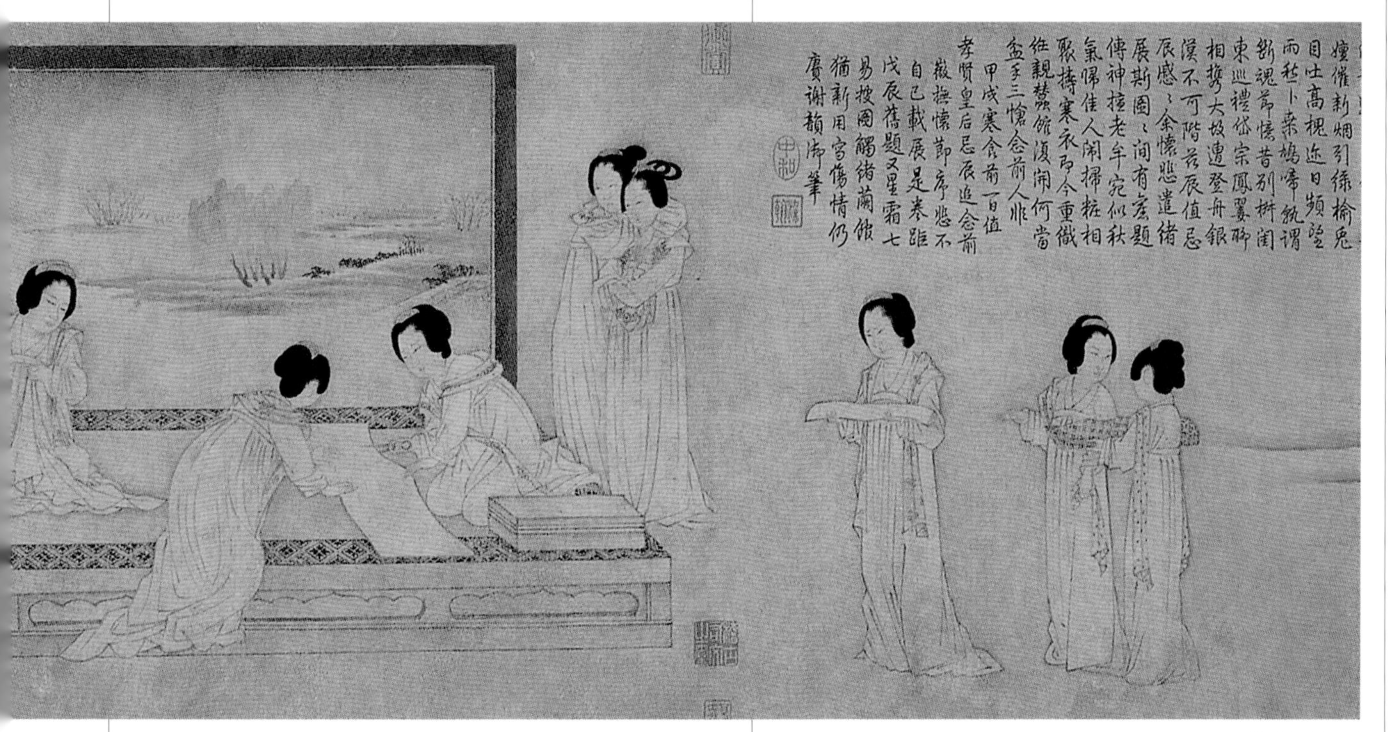

搗衣圖之四

趙孟堅（公元1199–1264年，一作1199 – 1267年）

南宋畫家。海鹽（今屬浙江）人。字子固，號彝齋居士。宋宗室。理宗寶慶二年（公元1226年）進士。善畫水墨梅、蘭、竹和水仙等，尤以墨蘭和白描水仙最精。

墨蘭圖

南宋
趙孟堅
高34.5、寬90.2厘米。
絹本，水墨。
現藏故宮博物院。

水仙圖（局部）

南宋
趙孟堅
全圖高24.5、寬670.2厘米。
紙本，水墨。
現藏天津博物館。

國香誰信非凡草自是
苕溪一種春此日王孫在
何處爲號尚憶鼎湖臣
灌園翁顧潋

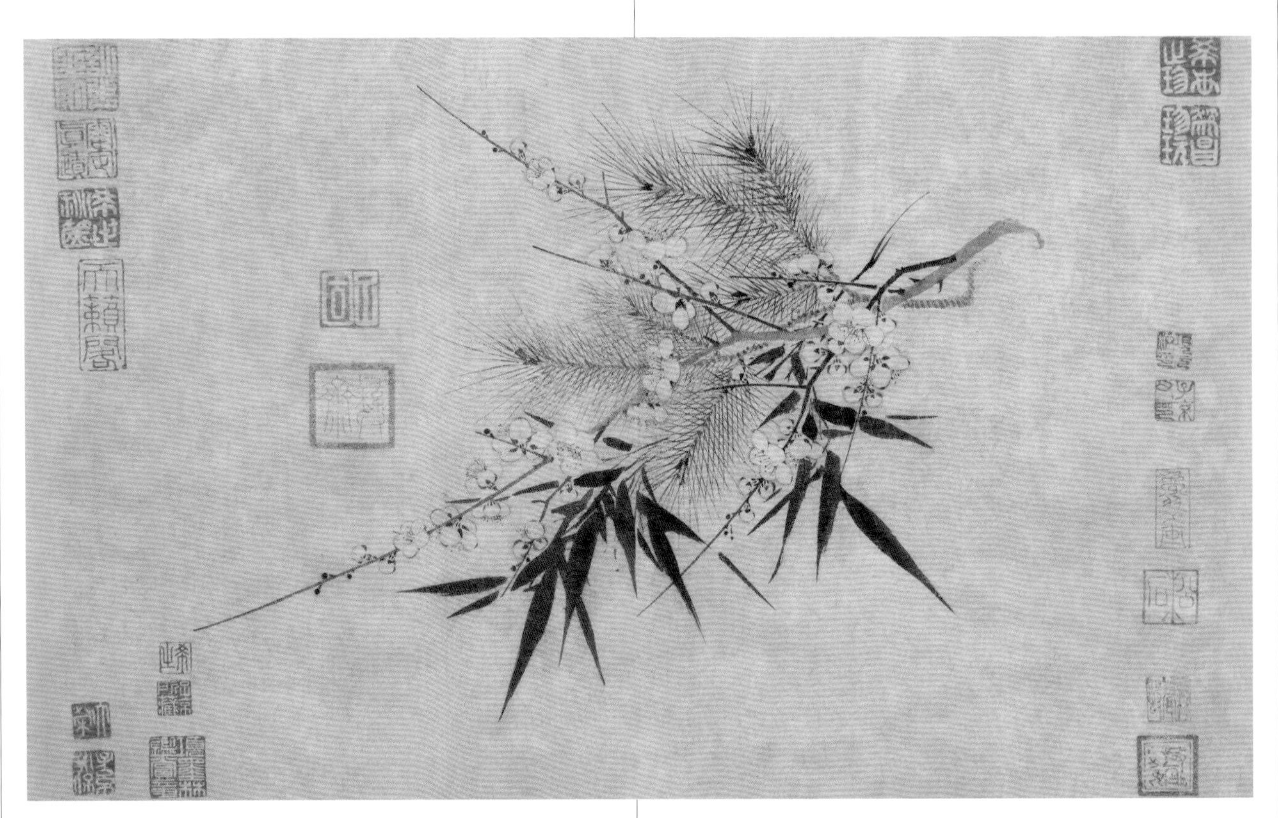

歲寒三友圖
南宋
趙孟堅
高32.2、寬53.4厘米。
紙本，水墨。
現藏臺北故宮博物院。

朱　□
南宋畫家。生平事迹不詳。

溪山行旅圖
南宋
朱□
高24.8、寬26厘米。
絹本，水墨淡設色。
現藏上海博物館。

朱惟德

南宋畫家。生平事迹不詳。

江亭攬勝圖

南宋
朱惟德
高24、寬26厘米。
絹本，設色。
現藏遼寧省博物館。

龔　開（公元1222－1304年）

宋末元初畫家。淮陰（今江蘇淮安）人。字聖予，號翠岩。理宗景定間任兩淮制置司監職，入元不仕。善畫人物，用筆雄健，兼工山水，師法"二米"，畫馬師曹霸，尤喜作墨鬼，以畫鍾馗著稱。

駿骨圖

南宋
龔開
高29.9、寬56.9厘米。
紙本，水墨。
現藏日本大阪市立美術館。

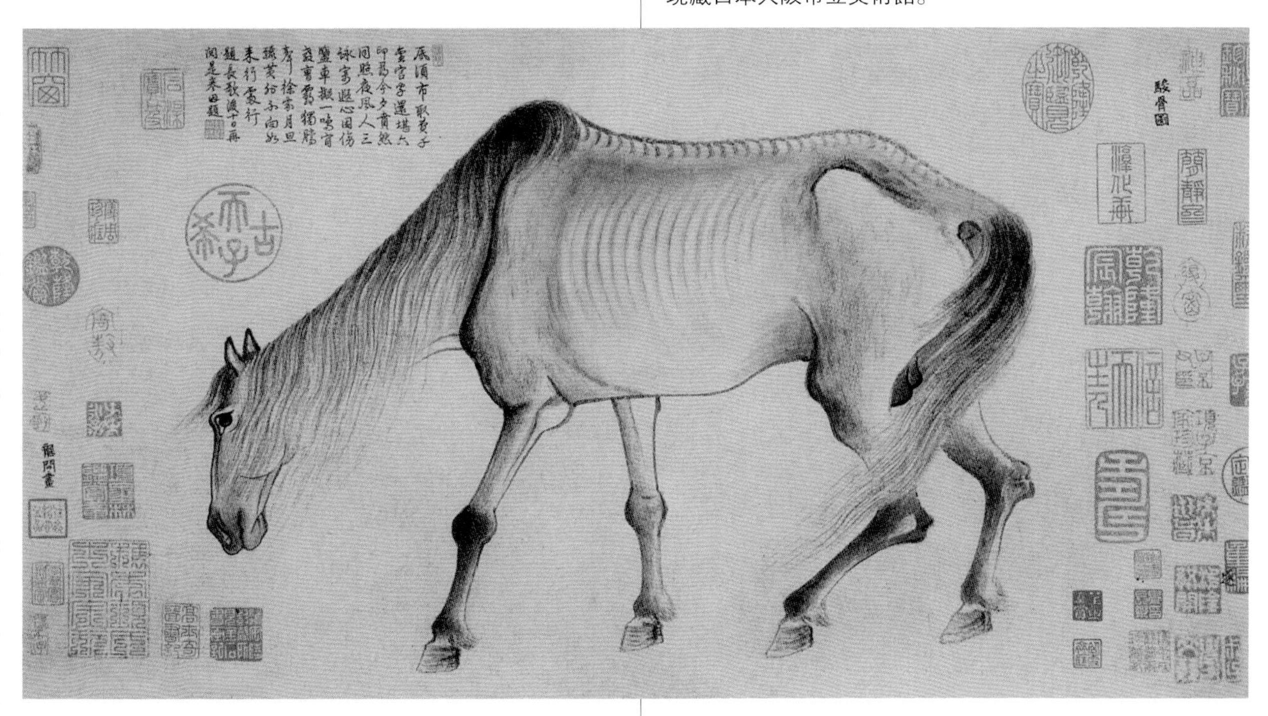

中山出游圖

南宋
龔開
高32.8、寬169.5厘米。
紙本，水墨。
現藏美國華盛頓弗利爾美術館。

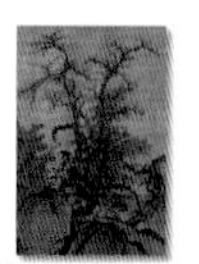

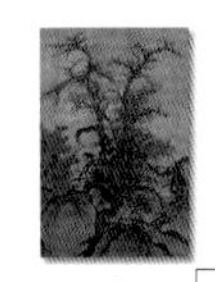

周季常

南宋畫家。慶元（今浙江寧波）人。生平事迹不詳。

五百羅漢圖之一
南宋
周季常
高109.4、寬52.4厘米。
絹本，設色。
現藏美國華盛頓弗利爾美術館。

林庭珪

南宋畫家。慶元（今浙江寧波）人。生平事迹不詳。

五百羅漢圖之一
南宋
林庭珪
高118、寬53.1厘米。
絹本，設色。
現藏美國華盛頓弗利爾美術館。

盤車圖

南宋
佚名
高109、寬49.5厘米。
絹本，設色。
現藏故宫博物院。

秋林飛瀑圖

南宋
佚名（舊題范寬）
高181、寬99.5厘米。
絹本，設色。
現藏臺北故宫博物院。

溪山雪意圖

南宋
佚名（舊題高克明）
高41、寬241.3厘米。
絹本，設色。
現藏美國紐約大都會博物館。

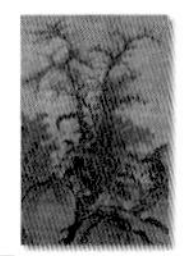

高克明

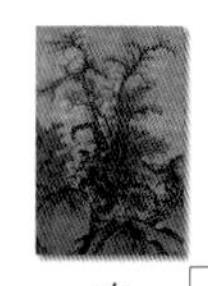

雲山墨戲圖

南宋
佚名（舊題米友仁）
高21.4、寬195.8厘米。
絹本，水墨。
現藏故宮博物院。

余墨戲氣
韻頗不凡
他日未易
量也元暉

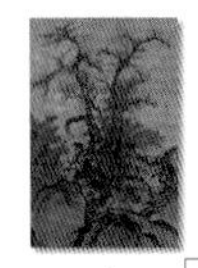

晚景圖

南宋
佚名
高69.5、寬37.6厘米。
絹本，水墨。
現藏上海博物館。

秋林放犢圖

南宋
佚名
高96.3、寬53.2厘米。
絹本，設色。
現藏故宮博物院。

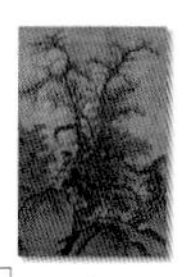

寒林樓觀圖

南宋

佚名

高150.3、寬89.7厘米。

絹本，設色。

現藏臺北故宮博物院。

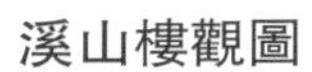

溪山樓觀圖

南宋

佚名

高174.7、寬102.1厘米。

絹本，設色。

現藏上海博物館。

溪山暮雪圖

南宋

佚名

高102.1、寬55.9厘米。

絹本，水墨。

現藏臺北故宮博物院。

松泉磐石圖

南宋

佚名

高160.3、寬96.8厘米。

絹本，水墨。

現藏臺北故宮博物院。

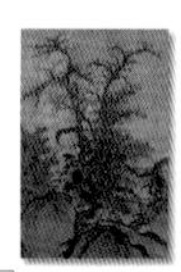

岷山晴雪圖

南宋
佚名
高115.1、寬100.7厘米。
絹本，水墨淡設色。有學者認爲是金、元時期作品。
現藏臺北故宫博物院。

雪峰寒艇圖

南宋
佚名
高180.6、寬150.3厘米。
絹本，水墨。
現藏上海博物館。

濠梁秋水圖

南宋
佚名
高24、寬114.5厘米。
絹本，設色。
現藏天津博物館。

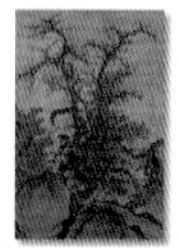

寒鴉圖

南宋
佚名
高27.1、寬113.2厘米。
絹本，水墨淡設色。
現藏遼寧省博物館。

春塘禽樂圖

南宋

佚名

高32.5、寬267.2厘米。

絹本，設色。

現藏吉林省博物院。

雪景四段圖（選二幅）

南宋
佚名
均高15.2、寬60.2厘米。
紙本、水墨。共四幅，連裝成卷。
現藏上海博物館。

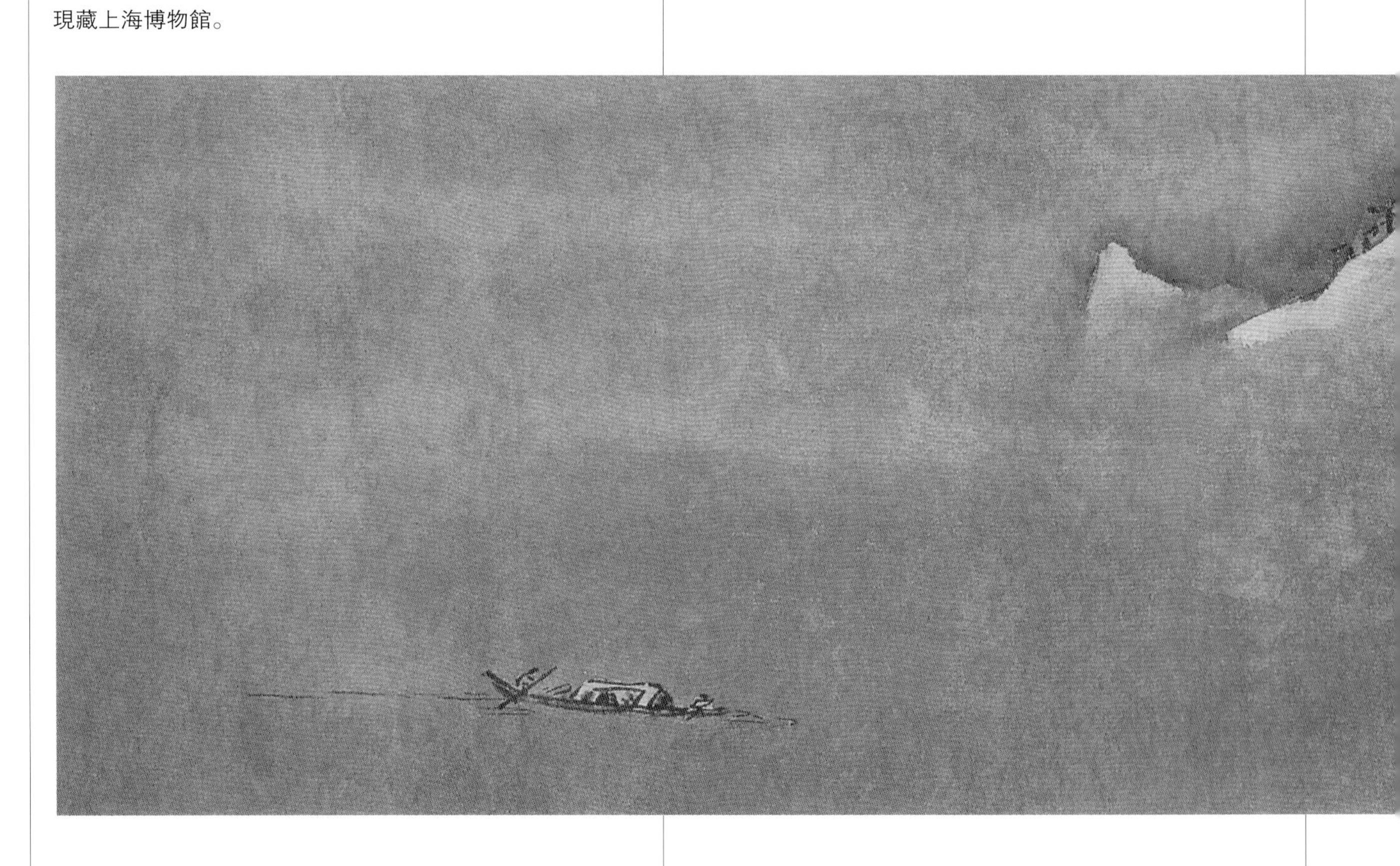

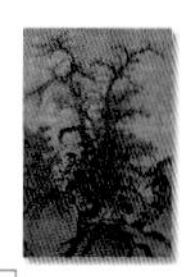

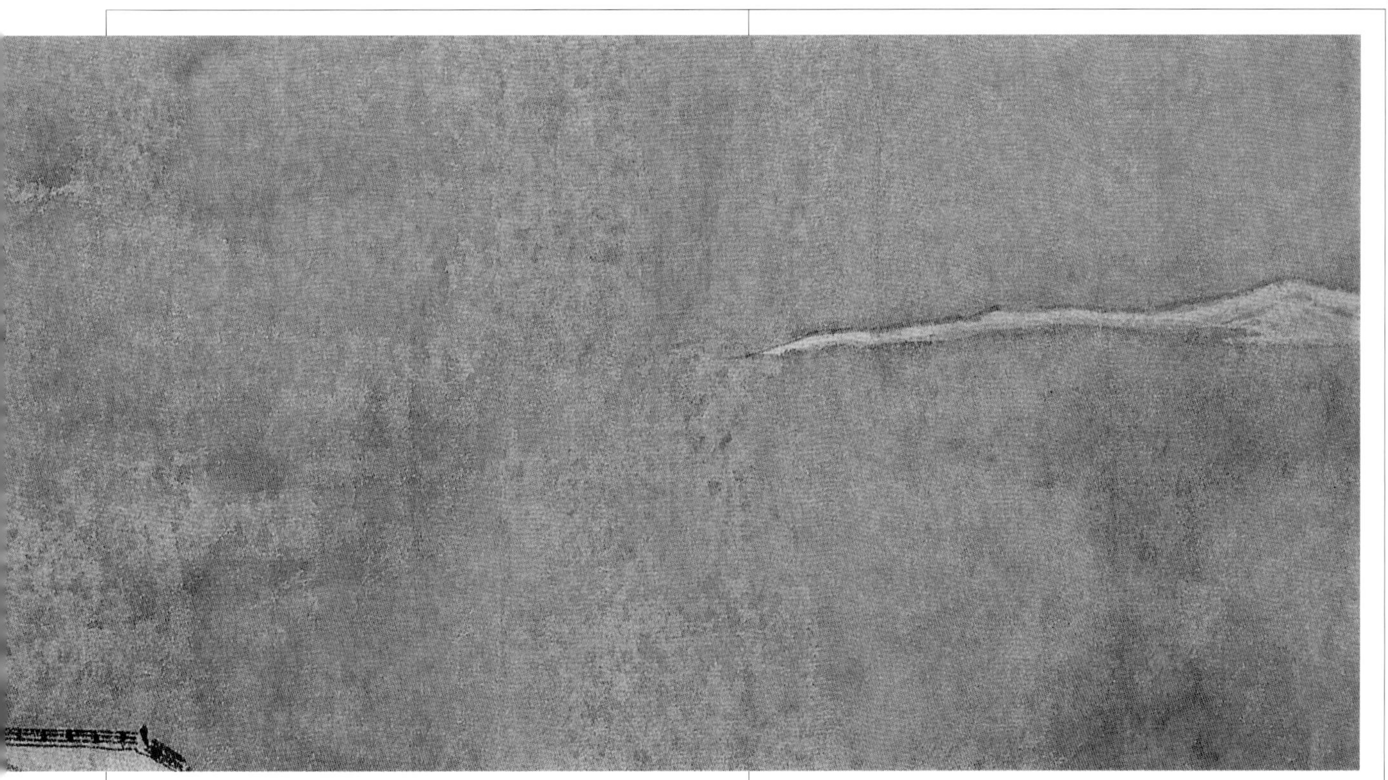

雪景四段圖之一

雪景四段圖之二

秋山紅樹圖

南宋

佚名

高197.8、寬111.8厘米。

絹本，設色。

現藏故宫博物院。

江天樓閣圖

南宋

佚名

高97.5、寬54.7厘米。

絹本，設色。

現藏南京博物院。

秋冬山水圖

南宋
佚名
各高127、寬54.5厘米。
絹本，設色。
現藏日本京都金地院。

秋冬山水圖之一

秋冬山水圖之二

雪屐觀梅圖

南宋
佚名
高161.3、寬100.9厘米。
絹本，設色。
現藏上海博物館。

山樓來鳳圖

南宋
佚名
高147、寬77.4厘米。
絹本，設色。
現藏上海博物館。

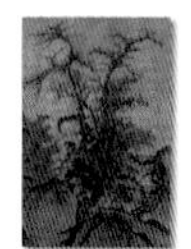

絲綸圖

南宋
佚名
高83.2、寬37.5厘米。
絹本，設色。
現藏故宫博物院。

雪窗讀書圖

南宋
佚名
高49.2、寬31厘米。
絹本，設色。
現藏中國國家博物館。

輞川圖（局部）
南宋
佚名
全圖高43.8、寬955.5厘米。
紙本，水墨。
現藏中國國家博物館。

商山四皓圖（局部）
南宋
佚名
全圖高30.7、寬238厘米。
紙本，水墨。
現藏遼寧省博物館。

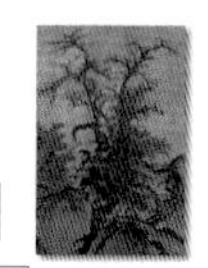

寒汀落雁圖

南宋
佚名
高125.9、寬92.1厘米。
絹本，水墨。
現藏故宮博物院。

竹間焚香圖

南宋
佚名
高26、寬20厘米。
絹本，設色。
現藏故宮博物院。

雪山行騎圖

南宋
佚名
高29、寬23.1厘米。
絹本，設色。
現藏故宫博物院。

溪山行旅圖

南宋
佚名
高26、寬26厘米。
絹本，設色。
現藏遼寧省博物館。

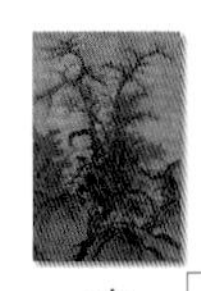

松岡暮色圖

南宋

佚名

高24.1、寬25.9厘米。

絹本，設色。

現藏故宫博物院。

春江帆飽圖

南宋

佚名

高25.8、寬27厘米。

絹本，水墨。

現藏故宫博物院。

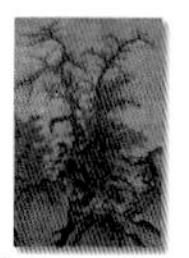

松溪放艇圖

南宋
佚名
高24.6、寬25.5厘米。
絹本，設色。
現藏故宫博物院。

青山白雲圖

南宋
佚名
高22.9、寬23.9厘米。
絹本，設色。
現藏故宫博物院。

觀瀑圖

南宋
佚名
高23.2、寬23.4厘米。
絹本，水墨淡設色。
現藏日本大阪市立美術館。

峻嶺溪橋圖

南宋
佚名
高25、寬26.5厘米。
絹本，設色。
現藏遼寧省博物館。

松風樓觀圖
南宋
佚名
高25.6、寬27.1厘米。
絹本，設色。
現藏上海博物館。

雲關雪棧圖
南宋
佚名
高25.2、寬26.5厘米。
絹本，設色。
現藏故宮博物院。

柳堂讀書圖

南宋
佚名
高22.5、寬24.5厘米。
絹本，設色。
現藏故宮博物院。

漁村歸釣圖

南宋
佚名
高23、寬22.3厘米。
絹本，設色。
現藏上海博物館。

風雨歸舟圖

南宋
佚名
高25.5、寬26.2厘米。
絹本，設色。
現藏故宫博物院。

山店風帘圖

南宋
佚名
高24、寬25.3厘米。
絹本，水墨。
現藏故宫博物院。

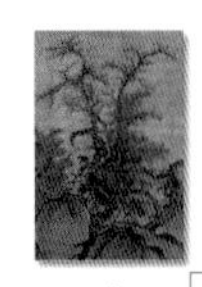

江上青峰圖

南宋
佚名
高24.5、寬26.2厘米。
絹本，設色。
現藏故宫博物院。

仙山樓閣圖

南宋
佚名
高25.3、寬26.8厘米。
絹本，設色。
現藏遼寧省博物館。

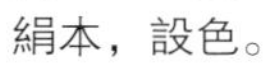

柳塘牧馬圖

南宋
佚名
高23.5、寬25.6厘米。
絹本，設色。
現藏故宫博物院。

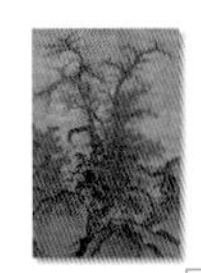

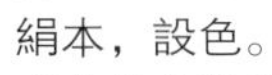

京畿瑞雪圖

南宋

佚名

高42.7、寬45.2厘米。

絹本，設色。

現藏故宫博物院。

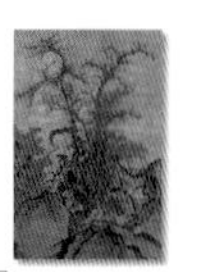

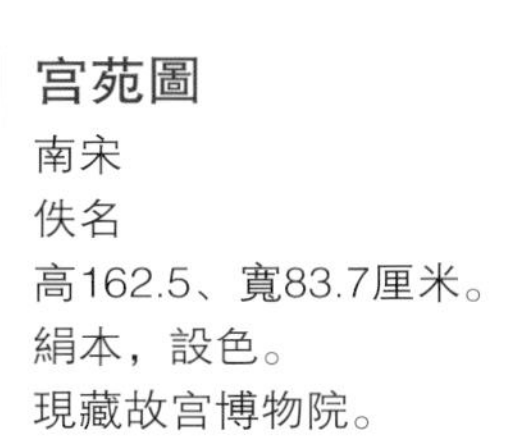

宮苑圖

南宋

佚名

高162.5、寬83.7厘米。

絹本，設色。

現藏故宮博物院。

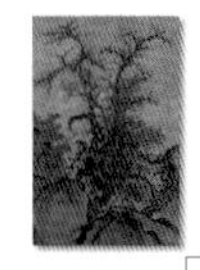

宮苑圖
南宋
佚名
高23.9、寬77.2厘米。
絹本，設色。
現藏故宮博物院。

九成避暑圖
南宋
佚名
高28.8、寬31.6厘米。
絹本，設色。
現藏故宮博物院。

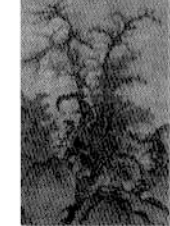

玉樓春思圖

南宋

佚名

高24.4、寬25.8厘米。

絹本，設色。

現藏遼寧省博物館。

荷亭對弈圖

南宋
佚名
高22.5、寬23.8厘米。
絹本，設色。
現藏故宮博物院。

長橋卧波圖

南宋
佚名
高24、寬26.2厘米。
絹本，設色。
現藏故宮博物院。

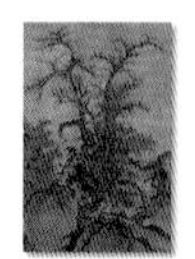

金明池争標圖

南宋

佚名

高28.5、寬28.6厘米。

絹本，設色。

現藏天津博物館。

瑞應圖（局部）

南宋
佚名（舊題蕭照）
高26.7厘米。
絹本，設色。
現藏天津博物館。

瑞應圖局部之一

瑞應圖局部之二

瑞應圖局部之三

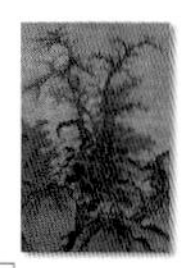

望賢迎駕圖

南宋
佚名
高195.1、寬109.5厘米。
絹本，設色。
現藏上海博物館。

迎鑾圖

南宋
佚名
高26.7、寬142.2厘米。
絹本，設色。
現藏上海博物館。

折檻圖

南宋

佚名

高173.9、寬101.8厘米。

絹本，設色。

現藏臺北故宮博物院。

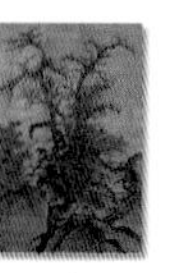

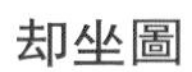

却坐圖

南宋
佚名
高146.8、寬77.3厘米。
絹本，設色。
現藏臺北故宫博物院。

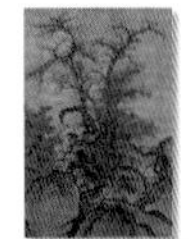

春宴圖

南宋

佚名

高26、寬515.3厘米。

絹本，設色。

現藏故宮博物院。

春宴圖之一

春宴圖之二

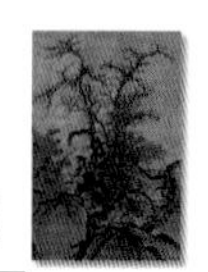

春宴圖之三

春宴圖之四

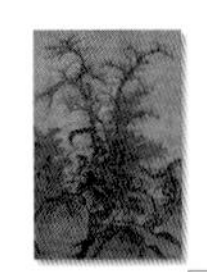

中興四將圖（上圖）

南宋

佚名(舊題劉松年)

高26、寬90.6厘米。

絹本，設色。

現藏中國國家博物館。

蕭翼賺蘭亭圖

南宋

佚名

高26.6、寬44.3厘米。

絹本，設色。

現藏故宮博物院。

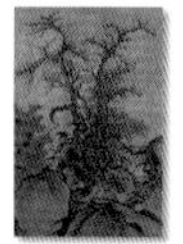

盧仝烹茶圖

南宋
佚名
高24.1、寬44.7厘米。
絹本，設色。
現藏故宮博物院。

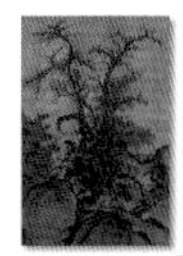

虎溪三笑圖

南宋

佚名

高26.4、寬47.6厘米。

絹本，設色。

現藏臺北故宮博物院。

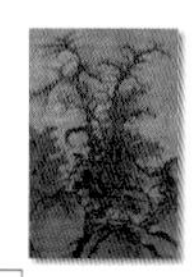

柳蔭高士圖

南宋
佚名
高65.4、寬40.2厘米。
絹本，設色。
現藏臺北故宮博物院。

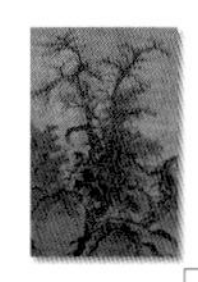

會昌九老圖（局部）

南宋

佚名

全圖高28.3、寬246.8厘米。

絹本，設色。

現藏故宮博物院。

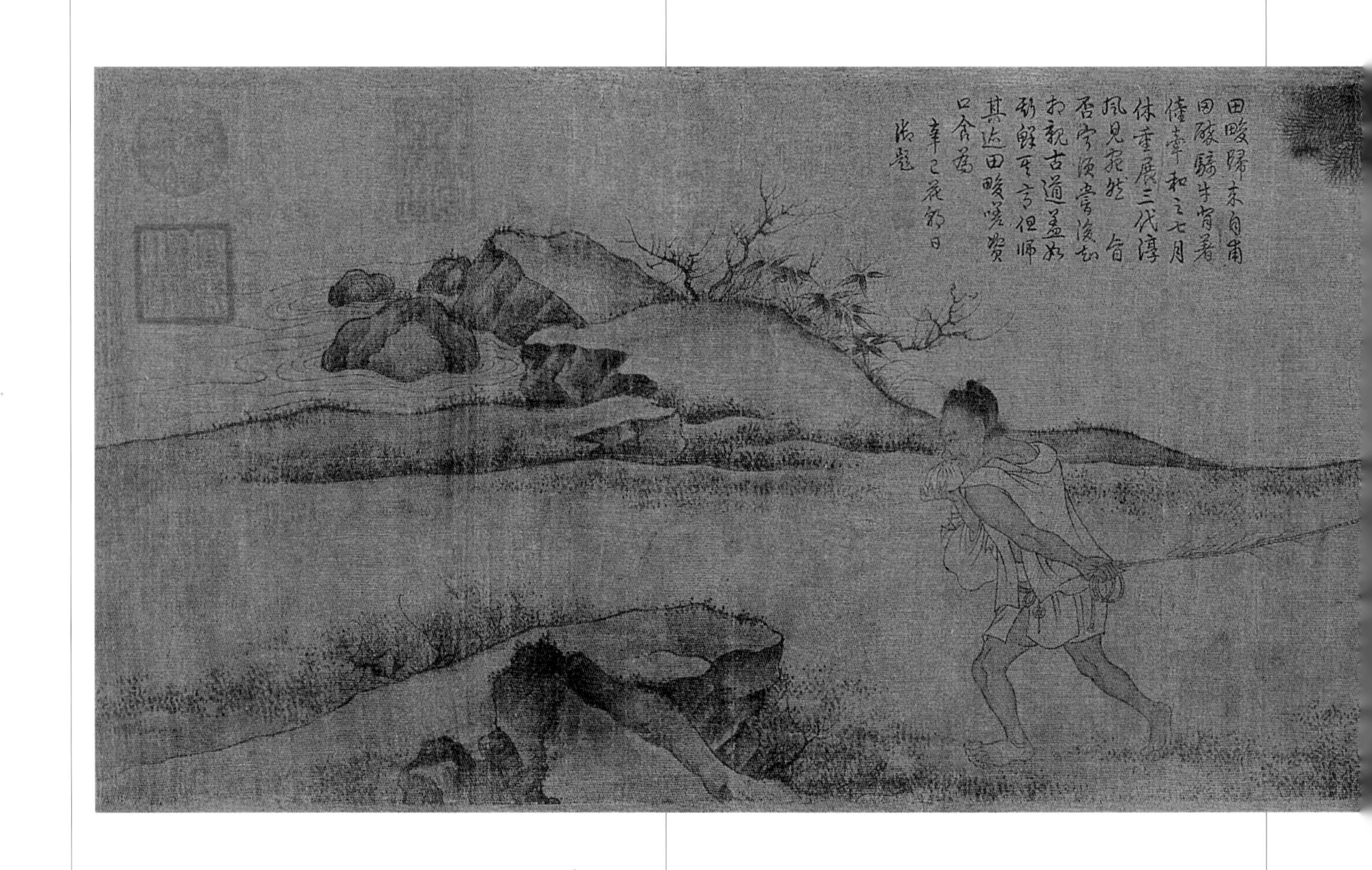

田畯醉歸圖

南宋
佚名
高21.7、寬75.8厘米。
絹本，設色。
現藏故宫博物院。

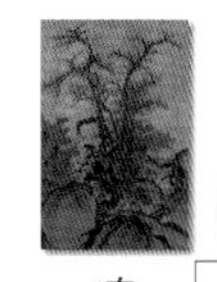

摹女史箴圖（局部）

南宋

佚名

全圖高27.9、寬601厘米。

紙本，水墨。

現藏故宫博物院。

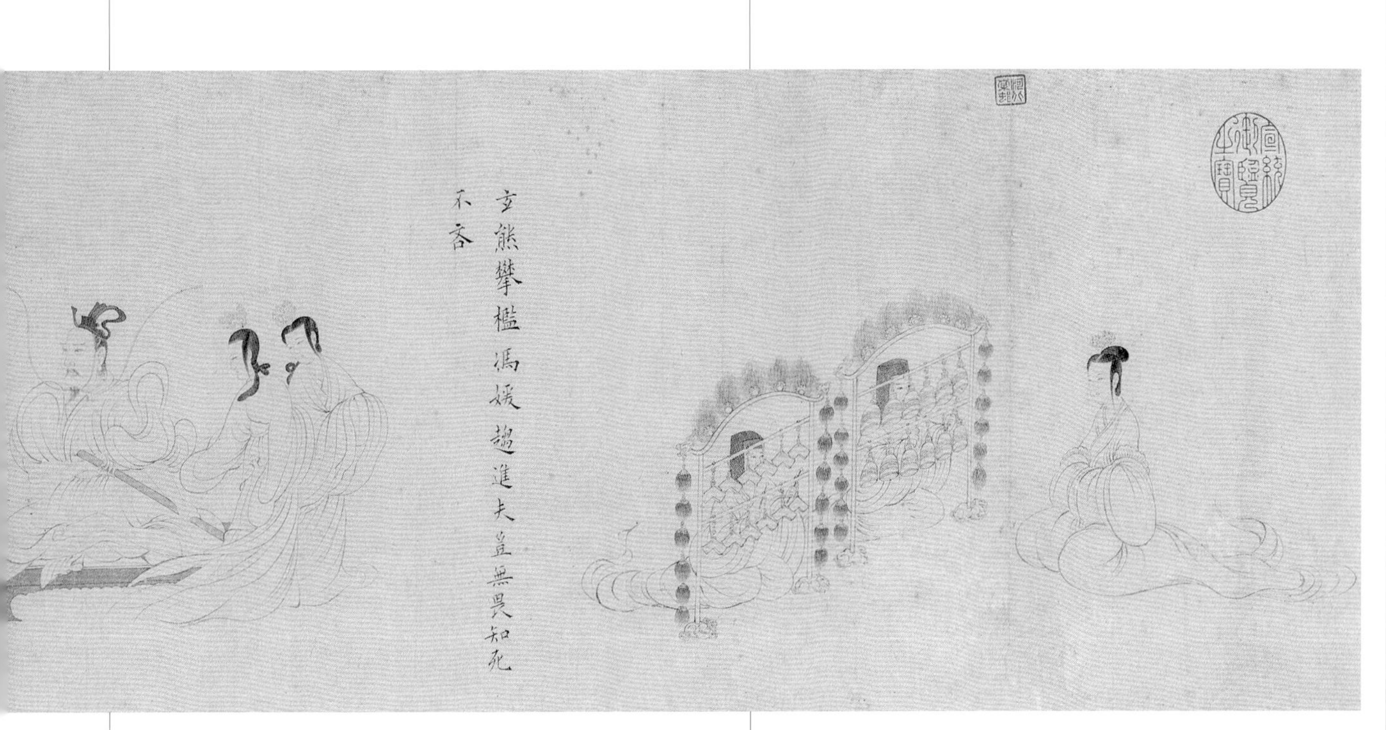

玄熊攀檻馮媛趨進夫豈無畏知死
不吝

摹女史箴圖局部之一

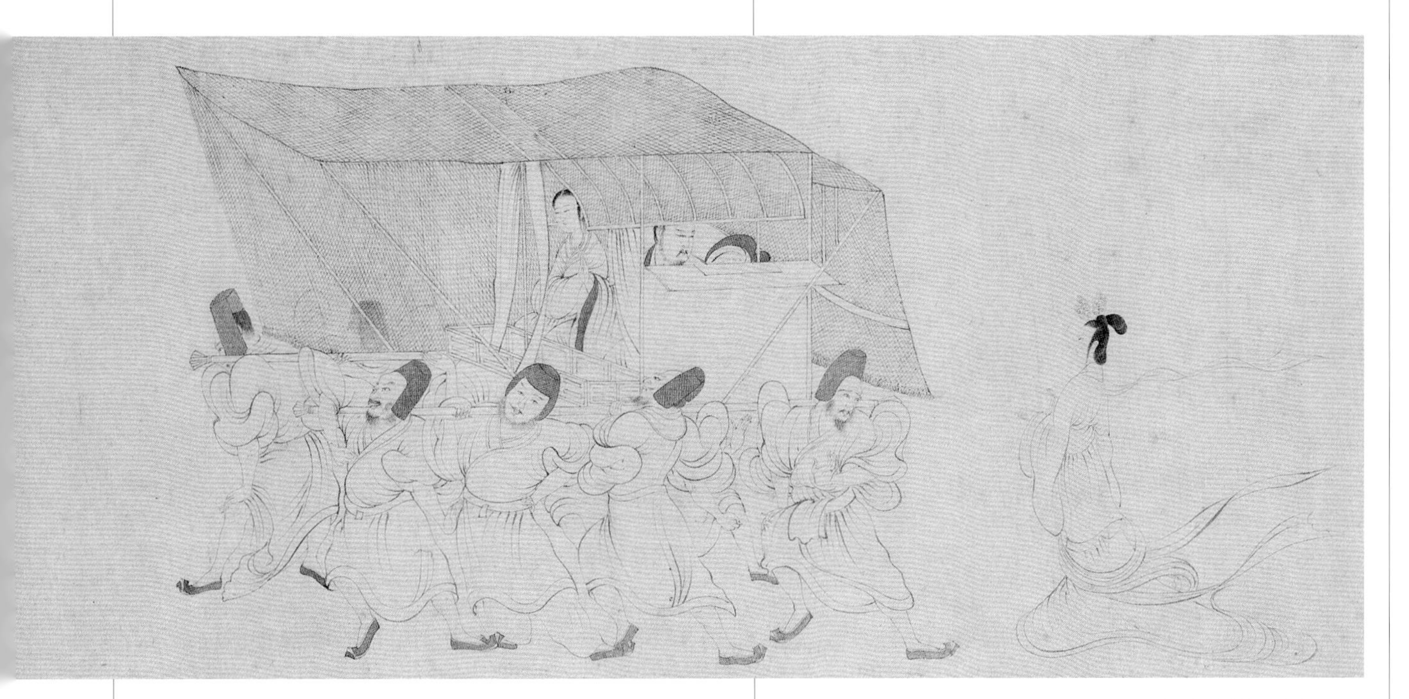

摹女史箴圖局部之二

九歌圖（局部）

南宋

佚名

全圖高33.1、寬747厘米。

紙本，水墨。

現藏黑龍江省博物館。

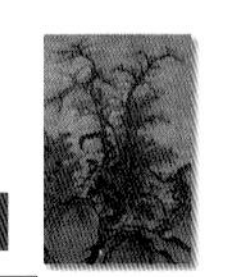

九歌圖局部之一

九歌圖局部之二

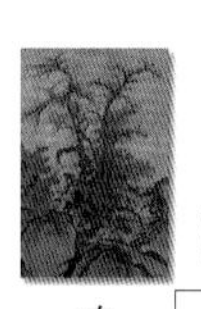

雲中君
君不行兮夷猶蹇誰留兮中洲美要眇兮宜脩
沛吾乘兮桂舟令沅湘兮無波使江水兮安流
望夫君兮未來吹參差兮誰思駕飛龍兮北征
邅吾道兮洞庭薜荔柏兮蕙綢蓀橈兮蘭旌望
涔陽兮極浦橫大江兮揚靈揚靈兮未極女嬋
媛兮爲余太息橫流涕兮潺湲隱思君兮陫側
桂櫂兮蘭枻斲冰兮積雪采薜荔兮水中搴芙
蓉兮木末心不同兮媒勞恩不甚兮輕絕石瀨
兮淺淺飛龍兮翩翩交不忠兮怨長期不信兮
告余以不閒鼂騁鶩兮江皋夕弭節兮北渚鳥
次兮屋上水周兮堂下捐余玦兮江中遺余佩
兮澧浦采芳洲兮杜若將以遺兮下女旹不可
兮再得聊逍遥兮容與

國殤
操吳戈兮被犀甲車錯轂兮短兵接旌蔽日兮
敵若雲矢交墜兮士爭先凌余陣兮躐余行左
驂殪兮右刃傷霾兩輪兮絷四馬援玉枹兮擊
鳴鼓天時懟兮威靈怒嚴殺盡兮弃原壄出不
入兮往不反平原忽兮路超遠帶長劍兮挾秦
弓首雖離兮心不懲誠既勇兮又以武終剛強
兮不可凌身既死兮神以靈魂魄毅兮爲鬼雄

九歌圖局部之三

九歌圖局部之四

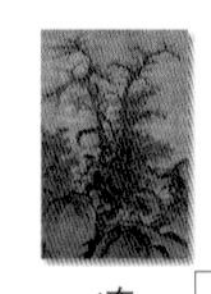

九歌圖（局部）

南宋
佚名
全圖高33厘米，每段寬71-81.8厘米不等。
紙本，水墨。殘存九段。
現藏遼寧省博物館。

九歌圖局部之一

九歌圖局部之二

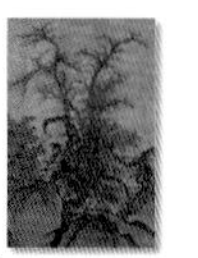

蓮社圖

南宋

佚名

高92、寬53.8厘米。

絹本，設色。

現藏南京博物院。

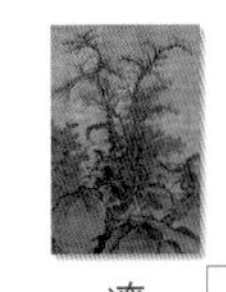

白蓮社圖（局部）

南宋

佚名（舊題李公麟）

全圖高35、寬849厘米。

紙本，水墨。

現藏遼寧省博物館。

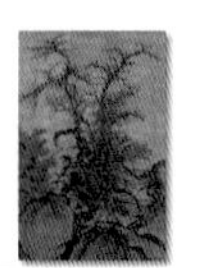

白蓮社圖局部之一

白蓮社圖局部之二

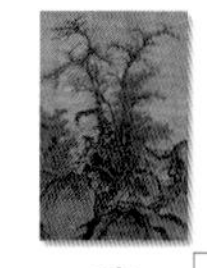

蘭亭圖

南宋

佚名

高34.1、寬560厘米。

紙本，水墨。

現藏黑龍江省博物館。

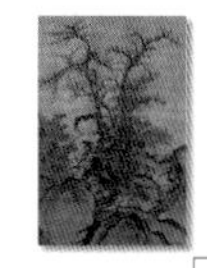

女孝經圖（選四幅）

南宋

佚名

均高43.8、寬68.7厘米。

絹本，設色。

現藏故宫博物院。

女孝經圖之一

女孝經圖之二

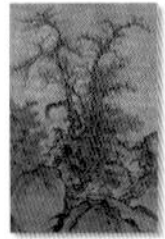

女孝經圖之三

女孝經圖之四

人物圖

南宋
佚名
高29、寬27.8厘米。
絹本，設色。
現藏臺北故宮博物院。

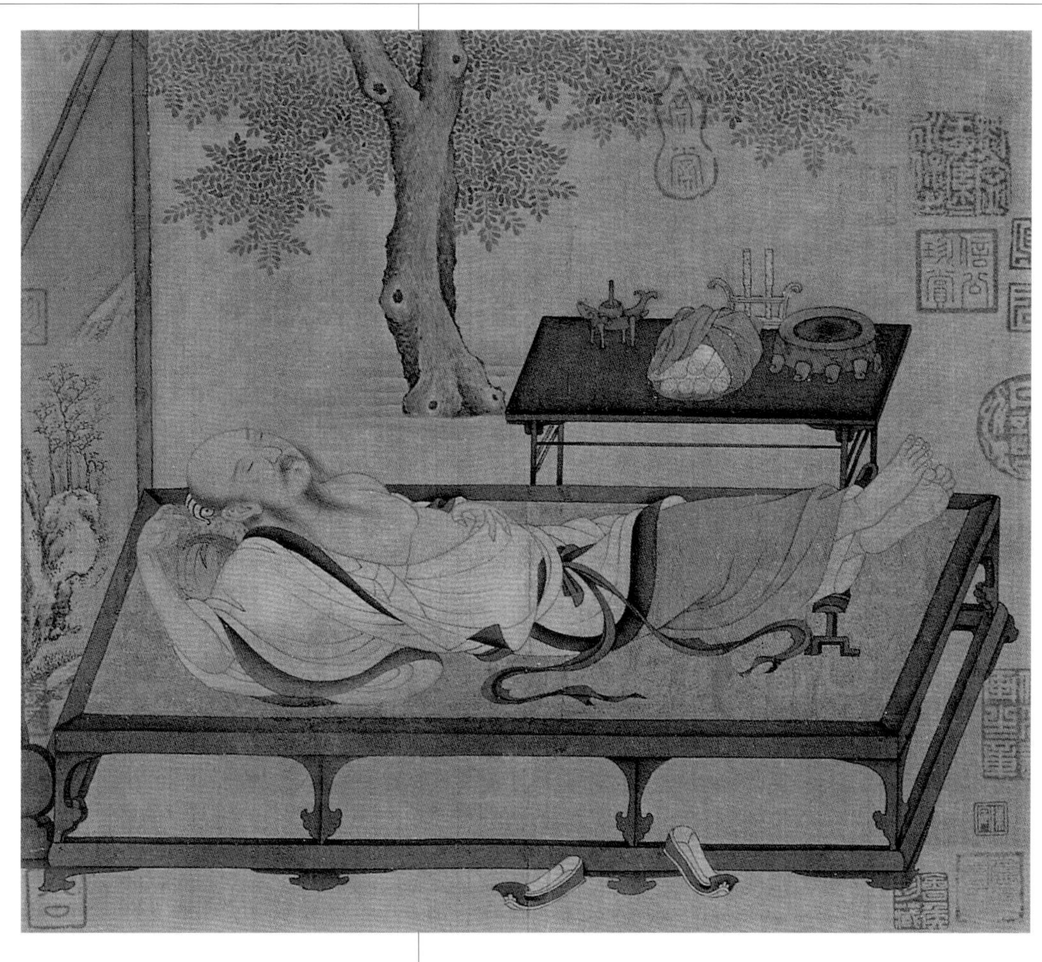

槐蔭消夏圖
南宋
佚名
高25、寬28.5厘米。
絹本，設色。
現藏故宮博物院。

賣漿圖
南宋
佚名
高34.1、寬40厘米。
絹本，設色。
現藏黑龍江省博物館。

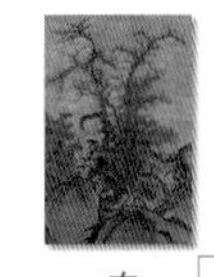

濯足圖

南宋

佚名

高29.1、寬29.6厘米。

絹本，設色。

現藏湖北省博物館。

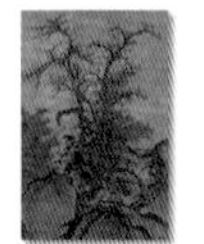

柳蔭群盲圖

南宋
佚名
高82、寬78.5厘米。
絹本，設色。
現藏故宮博物院。

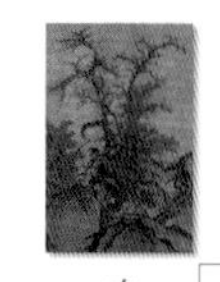

大儺圖

南宋
佚名
高67.4、寬59.2厘米。
絹本，設色。
現藏故宫博物院。

雜劇打花鼓

南宋
佚名
高24、寬24.3厘米。
絹本，設色。
現藏故宮博物院。

小庭嬰戲圖

南宋
佚名
高26、寬25.2厘米。
絹本，設色。
現藏故宮博物院。

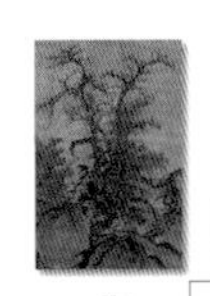

冬日嬰戲圖

南宋

佚名

高196.2、寬107.1厘米。

絹本，設色。

現藏臺北故宮博物院。

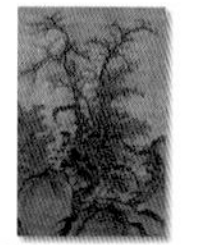

出山釋迦圖

南宋

佚名

高74.5、寬32.5厘米。

紙本，水墨淡設色。

現藏美國克里夫蘭博物館。

伏虎羅漢圖

南宋

佚名

高98.2、寬52.5厘米。

絹本，設色。

現藏廣東省博物館。

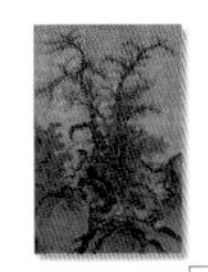

維摩居士圖

南宋
佚名
高84、寬53.6厘米。
紙本，水墨。
現藏日本京都國立博物館。

布袋和尚圖

南宋
佚名
高31.3、寬24.5厘米。
絹本，設色。
現藏上海博物館。

地官圖

南宋
佚名
高125.5、寬55.9厘米。
絹本，設色。
現藏美國波士頓美術館。

水官圖

南宋
佚名
高125.5、寬55.9厘米。
絹本，設色。
現藏美國波士頓美術館。

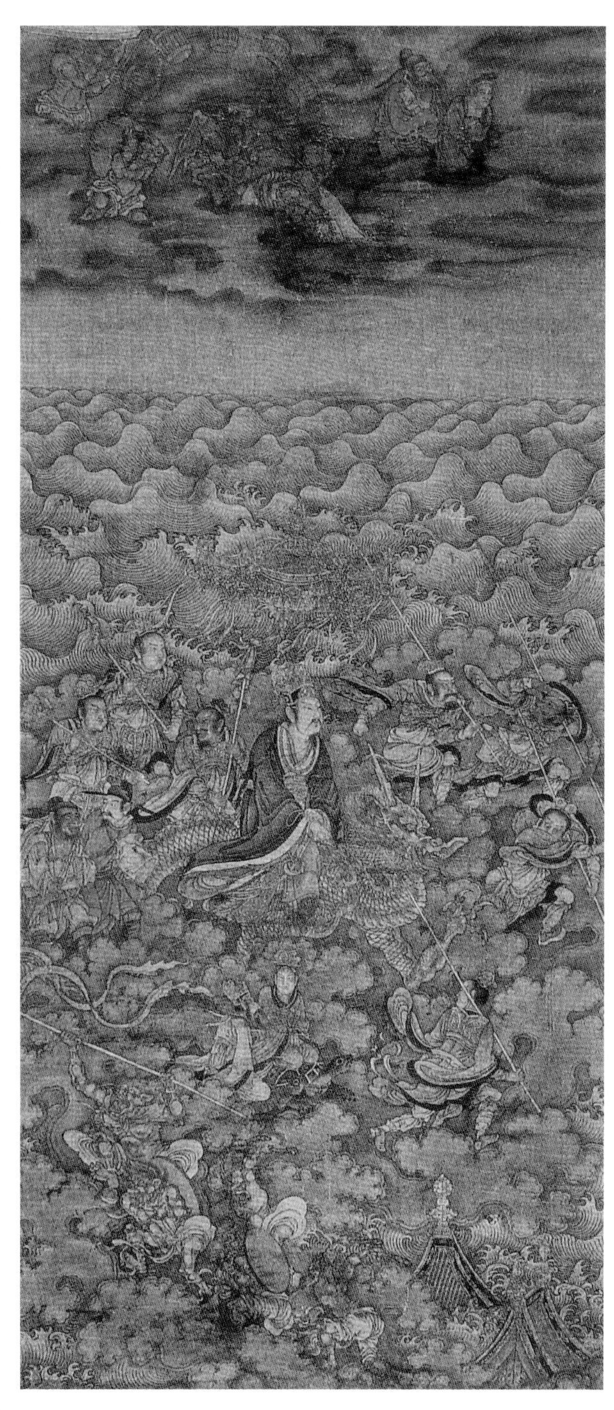

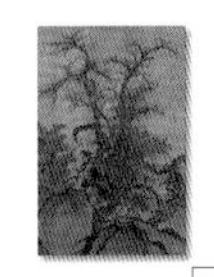

南唐文會圖
南宋
佚名
高30.4、寬29.6厘米。
絹本，設色。
現藏故宮博物院。

松蔭論道圖
南宋
佚名
高25.3、寬25.6厘米。
絹本，設色。
現藏故宮博物院。

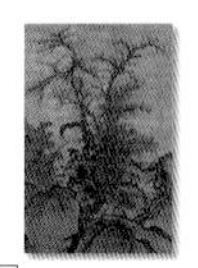

春游晚歸圖

南宋

佚名

高24.2、寬25.3厘米。

絹本，設色。

現藏故宫博物院。

蕉陰擊球圖

南宋
佚名
高25、寬24.5厘米。
絹本，設色。
現藏故宮博物院。

天寒翠岫圖

南宋
佚名
高25.7、寬21.6厘米。
絹本，設色。
現藏故宮博物院。

瑶臺步月圖

南宋
佚名
高25.6、寬26.7厘米。
絹本，設色。
現藏故宫博物院。

仙女乘鸞圖

南宋
佚名
高25.3、寬26.2厘米。
絹本，設色。
現藏故宫博物院。

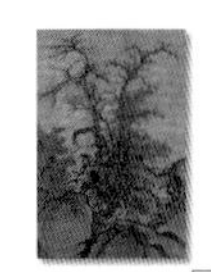

花卉四段圖

南宋

佚名

高49.2、寬77.6厘米。

絹本，設色。

現藏故宮博物院。

花卉四段圖之一

花卉四段圖之二

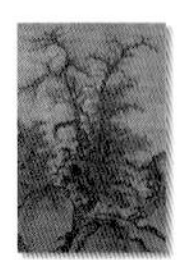

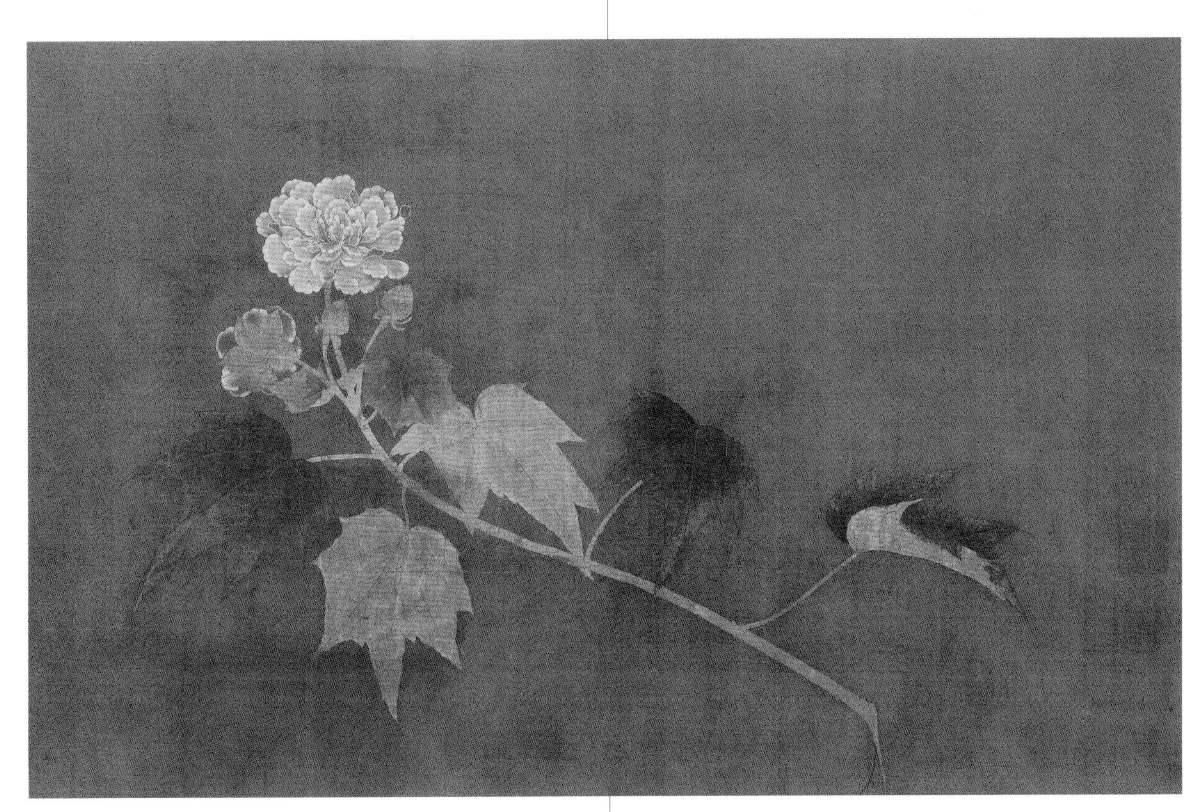

花卉四段圖之三

花卉四段圖之四

百花圖（局部）

南宋
佚名
全圖高31.5、寬1679.5厘米。
紙本，水墨。
現藏故宮博物院。

百花圖局部之一

百花圖局部之二

出水芙蓉圖

南宋
佚名
高23.8、寬25.1厘米。
絹本，設色。
現藏故宮博物院。

白茶花圖

南宋
佚名
高24.5、寬25.4厘米。
絹本，設色。
現藏故宮博物院。

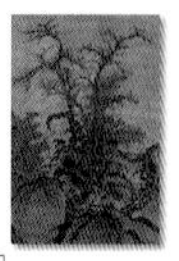

叢菊圖

南宋
佚名
高24、寬25.1厘米。
絹本，設色。
現藏故宮博物院。

牡丹圖

南宋
佚名
高24.8、寬22厘米。
絹本，設色。
現藏故宮博物院。

桃花鴛鴦圖

南宋
佚名
高105.3、寬49厘米。
絹本，設色。
現藏南京博物院。

翠竹翎毛圖

南宋
佚名
高185、寬109.9厘米。
絹本，設色。
現藏臺北故宮博物院。

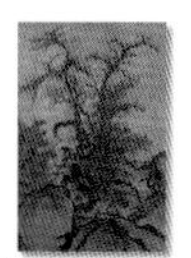

蓮池水禽圖

南宋

佚名

均高150.3、寬90.9厘米。

絹本，設色。

現藏日本東京國立博物館。

蓮池水禽圖之一

蓮池水禽圖之二

烏桕文禽圖

南宋

佚名

高27.5、寬26.9厘米。

絹本，設色。

現藏故宫博物院。

霜柯竹澗圖

南宋

佚名

高27.5、寬26.8厘米。

絹本，設色。

現藏故宫博物院。

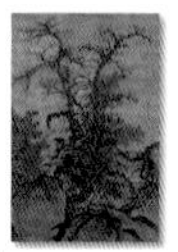

榴枝黃鳥圖
南宋
佚名
高24.6、寬25.4
厘米。
絹本，設色。
現藏故宫博物院。

霜篠寒雛圖
南宋
佚名
高28.2、寬28.7
厘米。
絹本，設色。
現藏故宫博物院。

枇杷山鳥圖

南宋
佚名
高26.9、寬27.2厘米。
絹本，設色。
現藏故宫博物院。

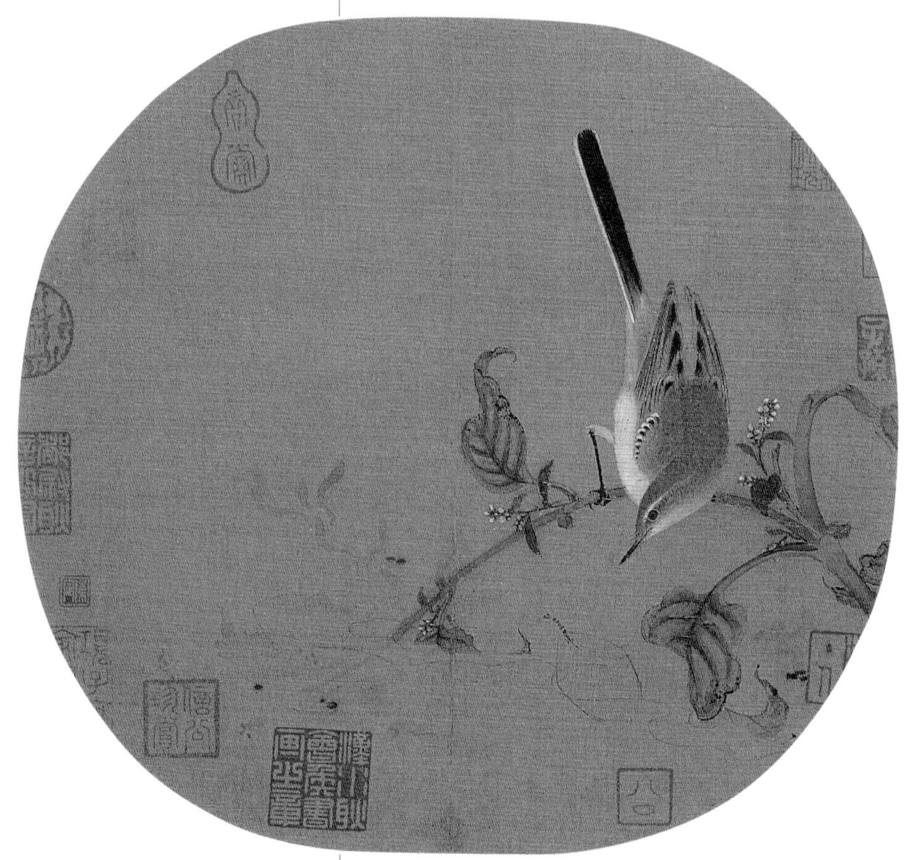

紅蓼水禽圖

南宋
佚名
高25.2、寬26.8厘米。
絹本，設色。
現藏故宫博物院。

鬥雀圖

南宋
佚名
高24.2、寬25.4厘米。
絹本，設色。
現藏故宮博物院。

子母鷄圖

南宋
佚名
高41.9、寬33厘米。
紙本，設色。
現藏臺北故宮博物院。

瓊花真珠鷄圖

南宋

佚名

高13.8、寬22.3厘米。

絹本，設色。

現藏重慶市博物館。

葵花獅猫圖

南宋

佚名

高13.8、寬22.3厘米。

絹本，設色。

現藏重慶市博物館。

富貴花貍圖

南宋
佚名
高141、寬107.5厘米。
絹本，設色。
現藏臺北故宮博物院。

蜀葵游猫圖

南宋
佚名
高25.3、寬25.8厘米。
絹本，設色。
現藏日本奈良大和文華館。

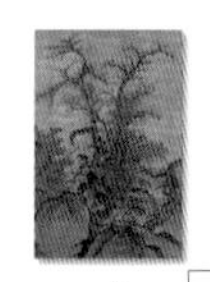

鷄冠乳犬圖

南宋
佚名
高24.5、寬25.5厘米。
絹本，設色。
現藏河北省博物館。

犬戲圖

南宋
佚名
高24.5、寬24.5厘米。
絹本，設色。
現藏遼寧省博物館。

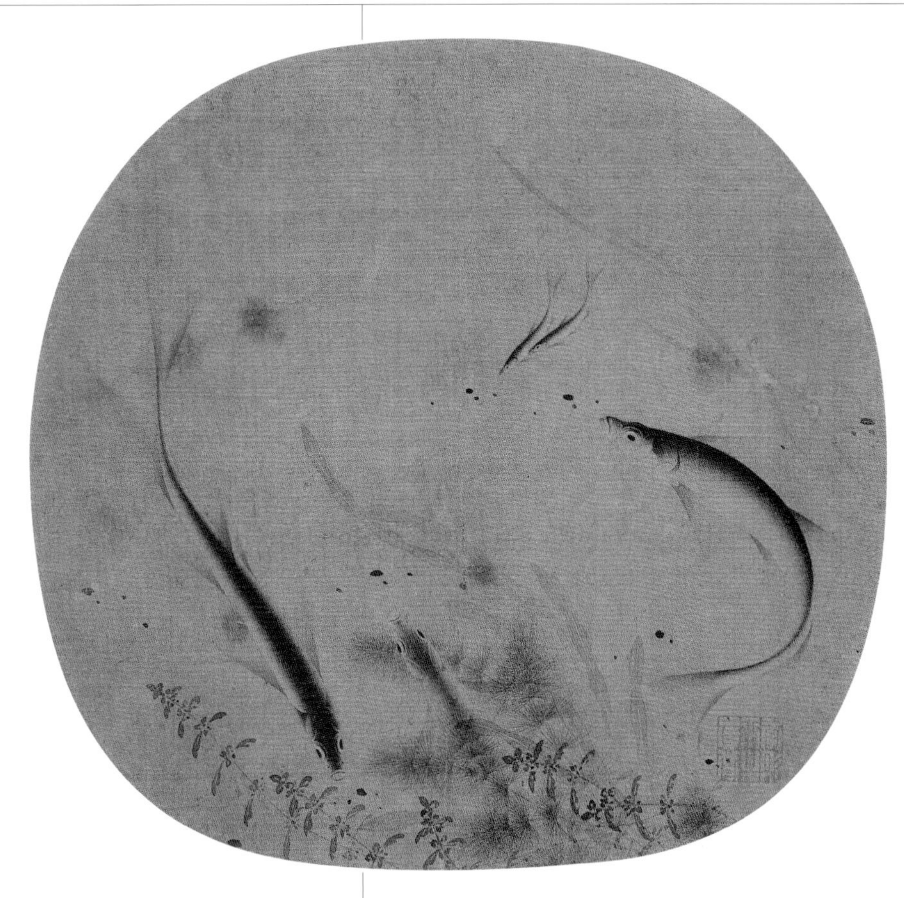

群魚戲藻圖

南宋
佚名
高24.5、寬25.5厘米。
絹本，設色。
現藏故宮博物院。

荷蟹圖

南宋
佚名
高28.4、寬28厘米。
絹本，設色。
現藏故宮博物院。

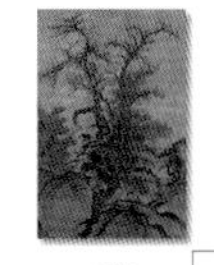

落花游魚圖

南宋
佚名
高26.4、寬252.2厘米。
絹本，設色。
現藏美國聖路易藝術博物館。

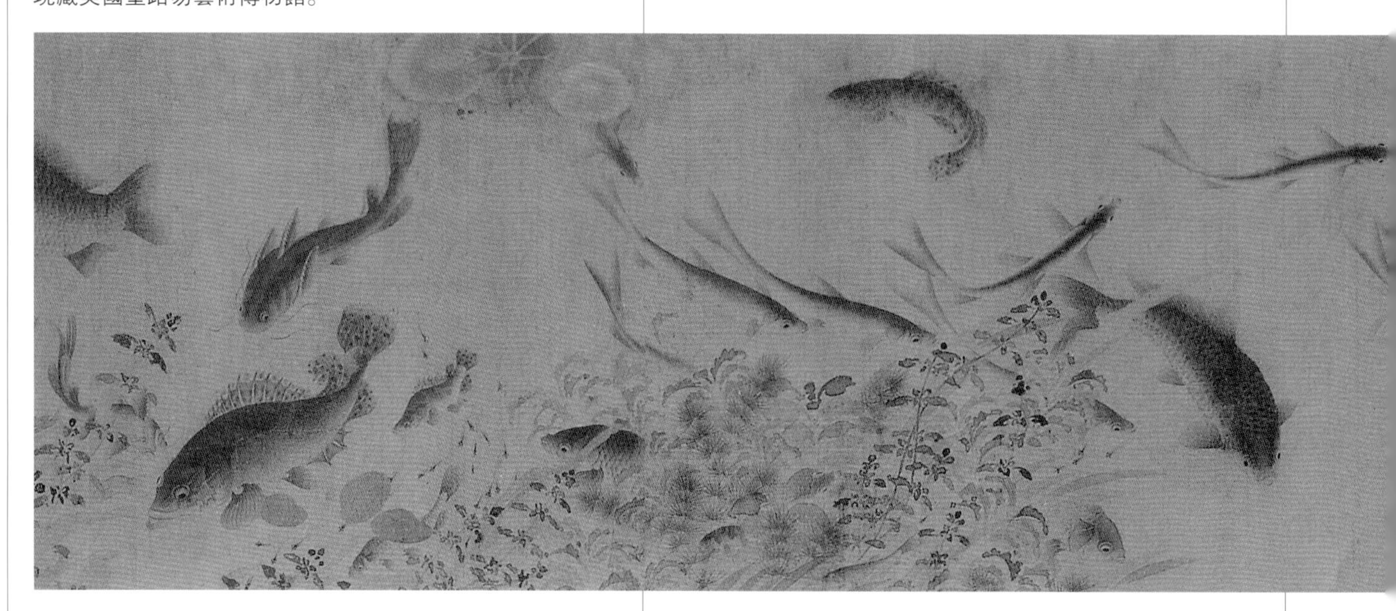

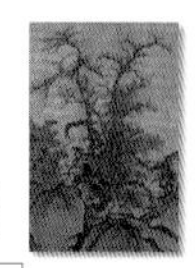

牧羊圖

南宋

佚名

高101.1、寬49厘米。

絹本，設色。

現藏上海博物館。

竹蟲圖

南宋

佚名

高100、寬54厘米。

絹本，設色。

現藏日本東京國立博物館。

牧牛圖

南宋

佚名

高24.7、寬25.6厘米。

絹本，水墨。

現藏日本大阪市立美術館。

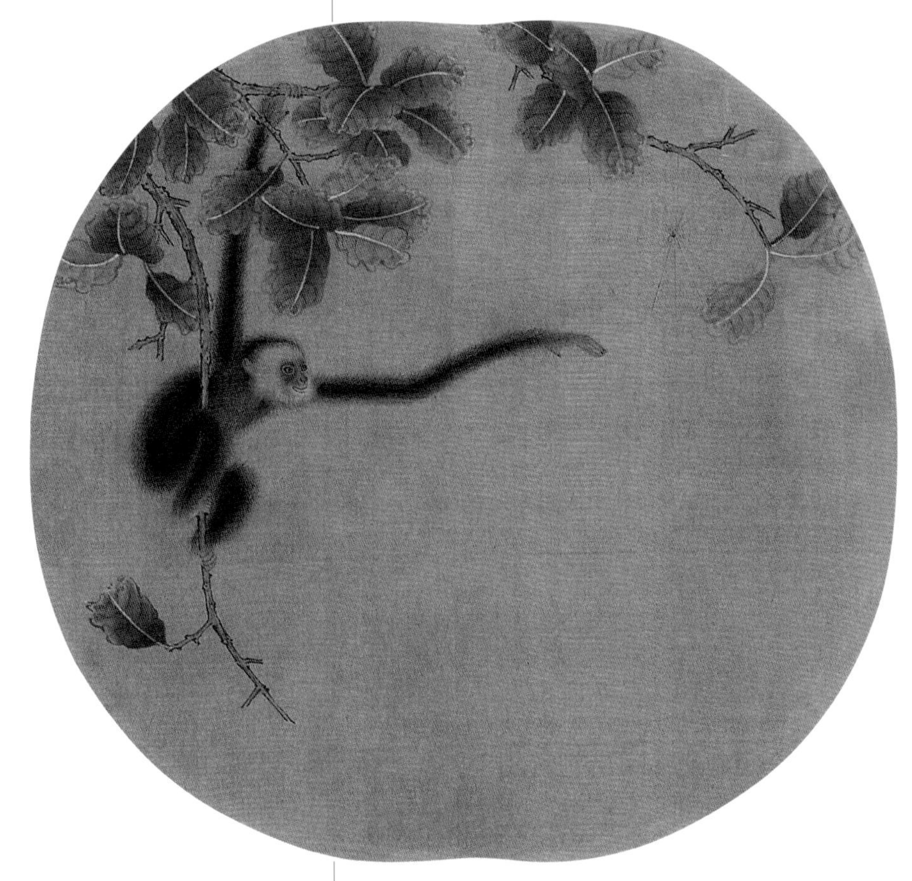

蛛網攫猿圖

南宋

佚名

高23.8、寬25.2厘米。

絹本，設色。

現藏故宫博物院。

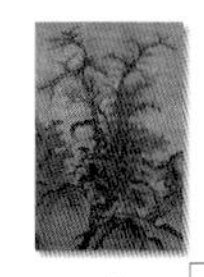

猿猴摘果圖

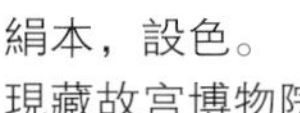

南宋
佚名
高25、寬25.6厘米。
絹本，設色。
現藏故宮博物院。

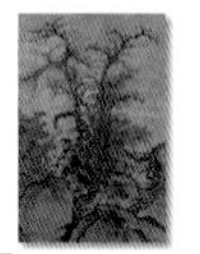

山花墨兔圖

南宋
佚名
高37.5、寬42厘米。
絹本，設色。
現藏臺北故宮博物院。

秋瓜圖

南宋
佚名
高26.8、寬45.5厘米。
絹本，設色。
現藏臺北故宮博物院。

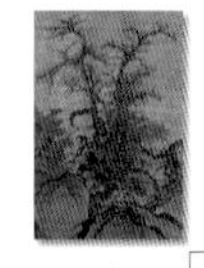

張勝温

大理國宮廷畫師。生平事迹不詳。

大理國梵像圖（局部）

大理國

張勝温

全圖高30.4、寬1636.5厘米。

紙本，設色。

現藏臺北故宮博物院。

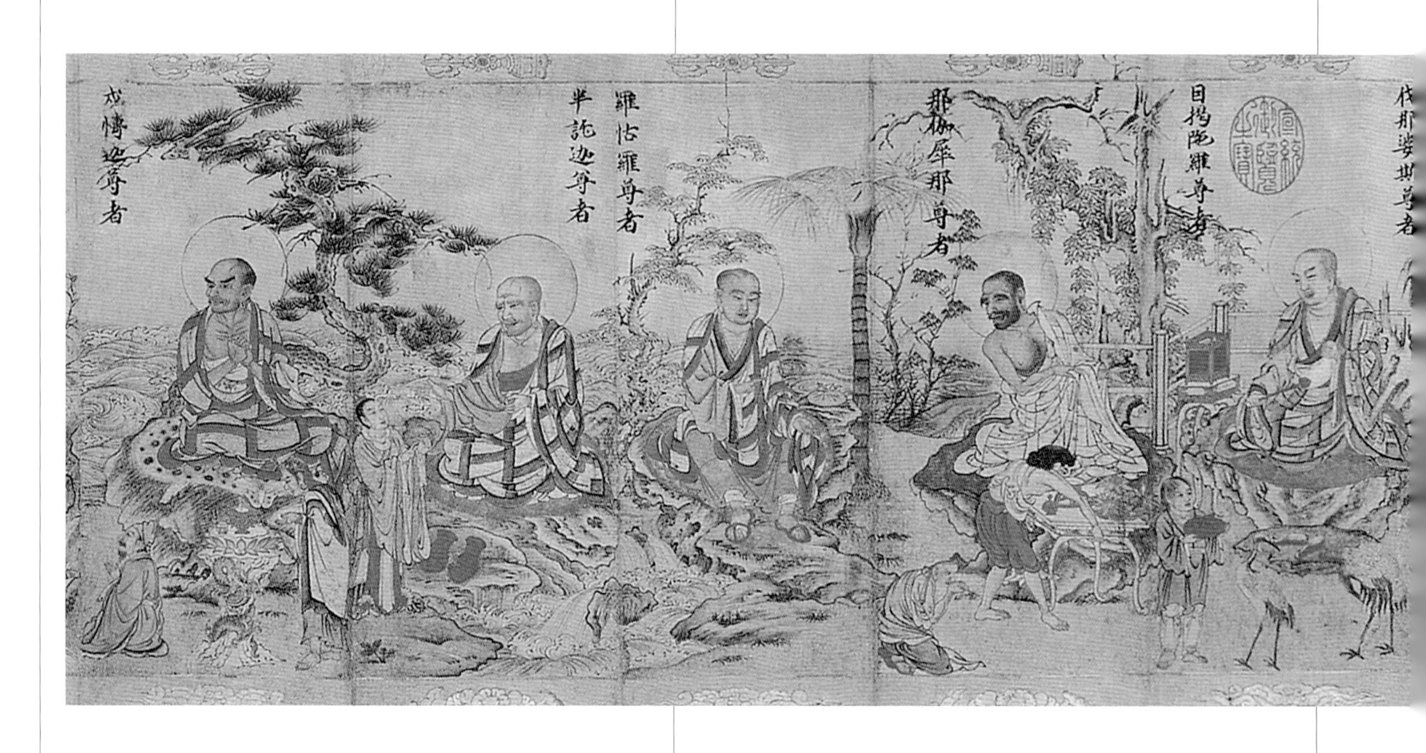

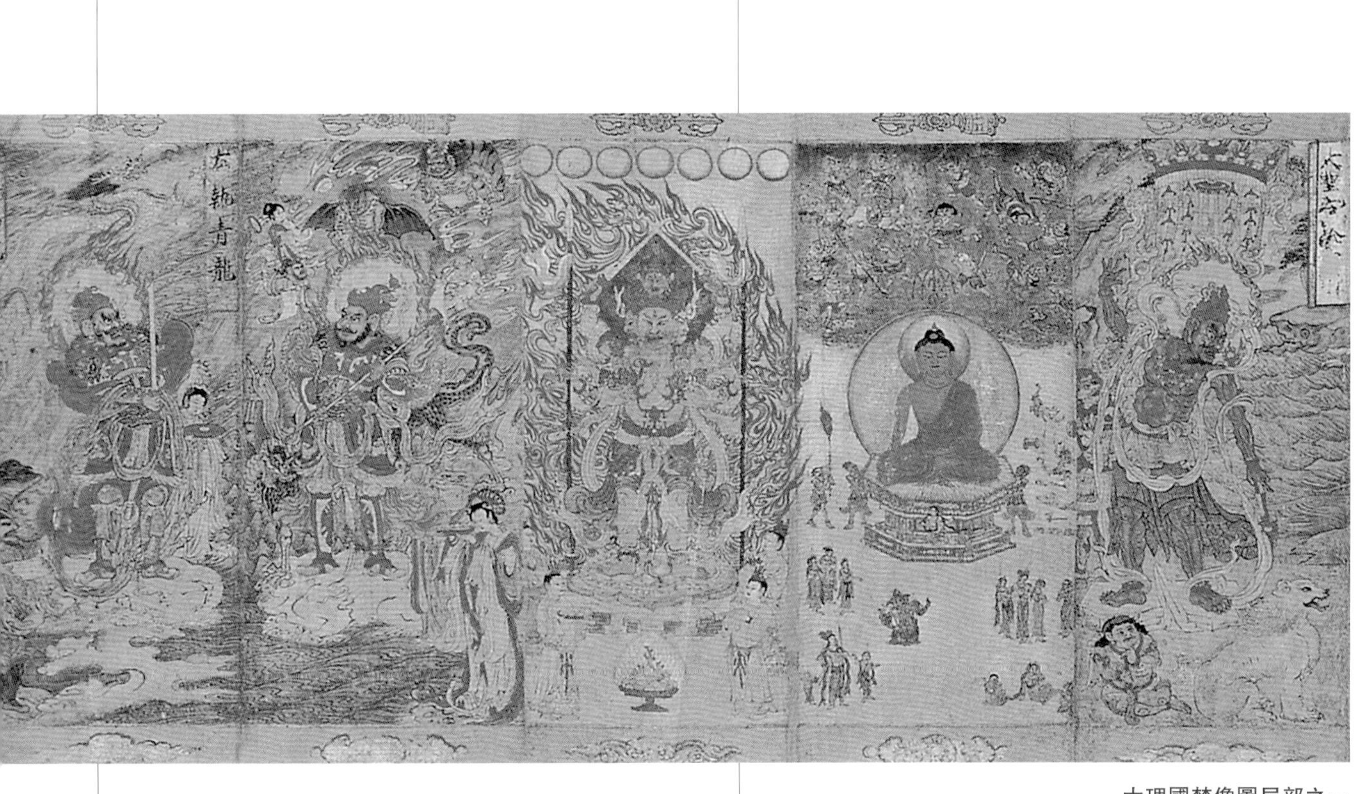

大理國梵像圖局部之一

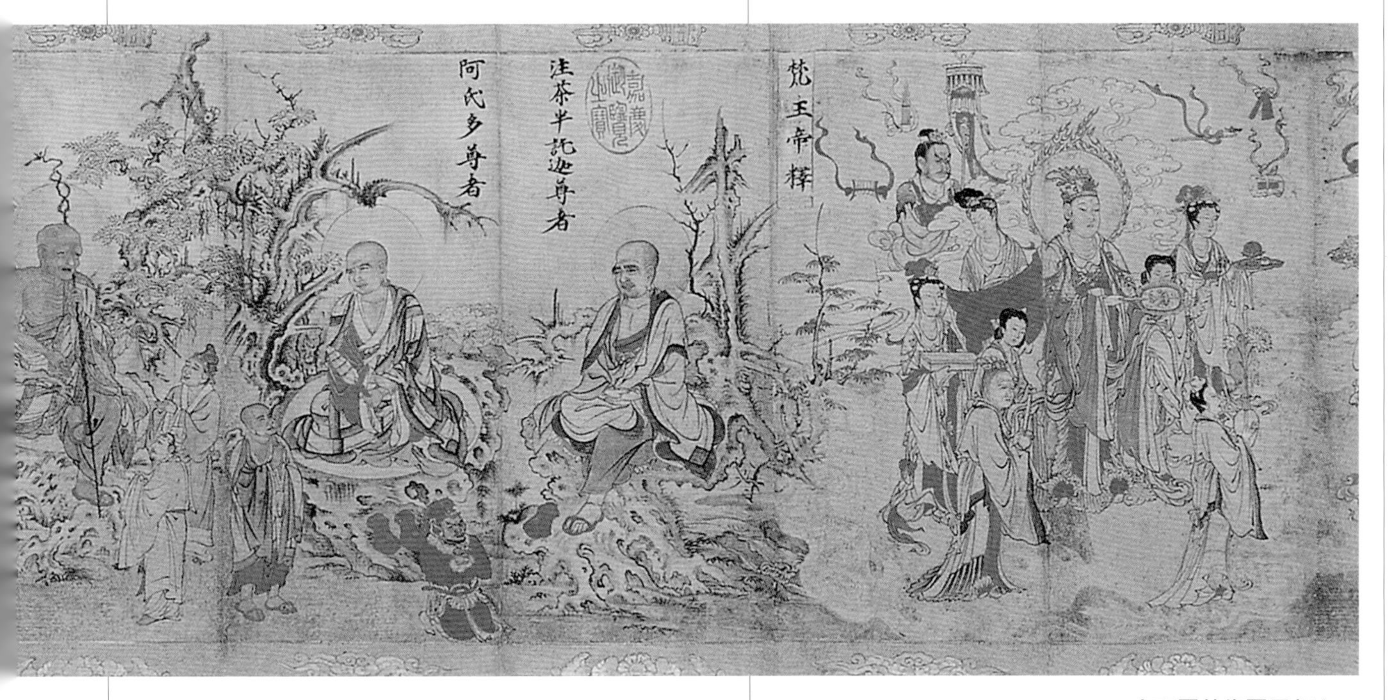

大理國梵像圖局部之二

何　澄（公元1217－約1309年）

元代畫家。燕（今北京）人。武宗至大初任昭文館大學士，領圖畫總管。擅畫人物、山水，在當時畫界聲望極高。

歸莊圖

元

何澄

高41、寬723.8厘米。

紙本，水墨。

現藏吉林省博物院。

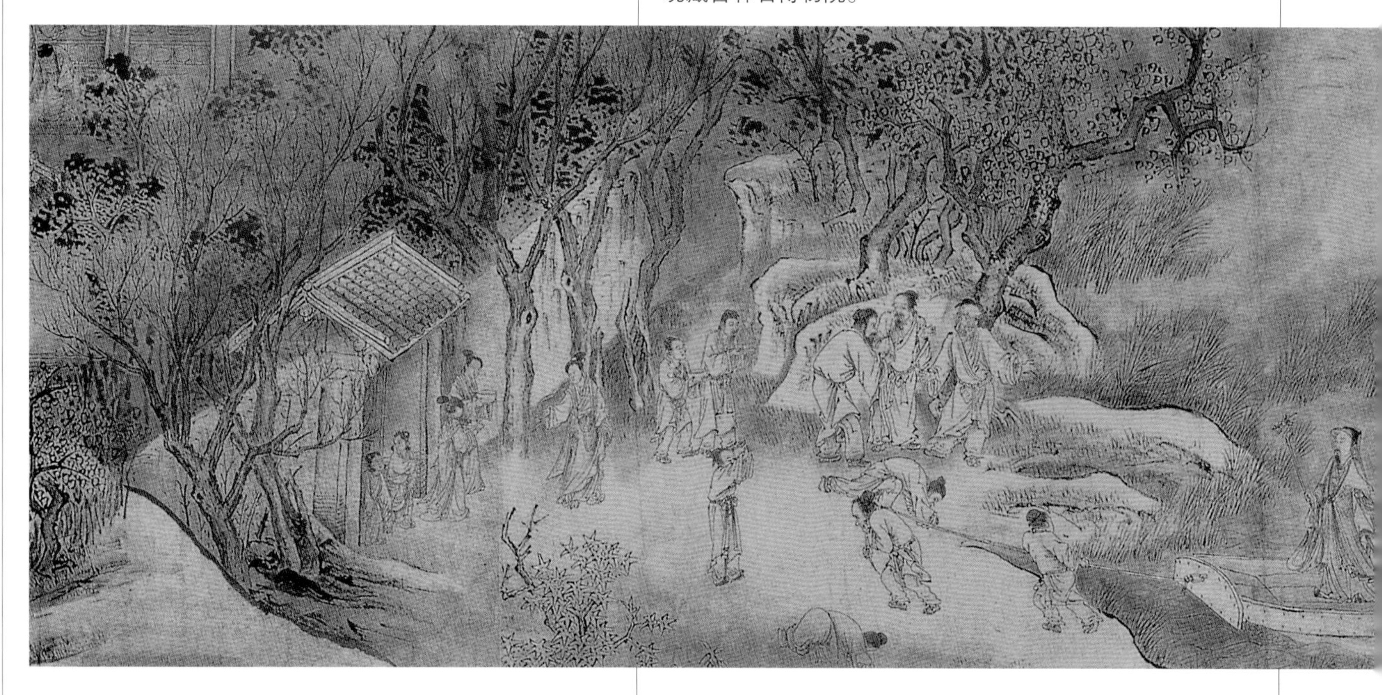

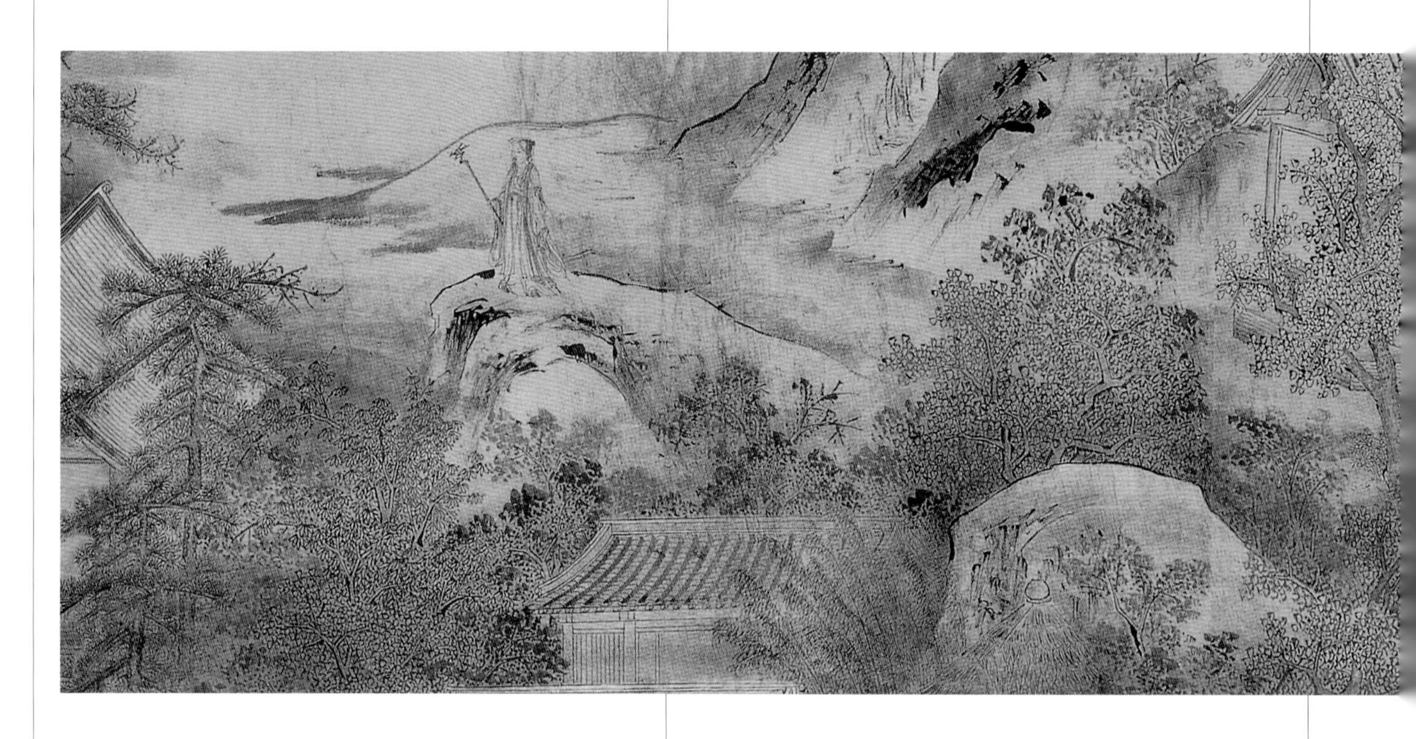

歸莊圖之一

歸莊圖之二

歸莊圖之三

歸莊圖之四

錢　選（約公元1239－1301年）

宋末元初畫家。湖州（今屬浙江）人。字舜舉，號玉潭，又號巽峰、清癯老人、霅川翁等。南宋景定間進士，入元后不仕。工詩，能書，善繪畫。工山水、人物、翎毛、花竹。畫人物師李公麟，山水師趙令穰、趙伯駒，花鳥師趙昌，集諸家之長，自出新意，獨具畫風。

八花圖

元
錢選
高29.4、寬333.9厘米。
紙本，設色。
現藏故宮博物院。

花鳥圖（局部）

元

錢選

全圖高38、寬316.7厘米。

紙本，設色。

現藏天津博物館。

浮玉山居圖

元

錢選

高29.6、寬98.7厘米。

紙本，水墨淡設色。

現藏上海博物館。

秋江待渡圖

元

錢選

高26.8、寬103厘米。

絹本，設色。

現藏故宫博物院。

山居圖

元
錢選
高26.5、寬111.6厘米。
紙本，設色。
現藏故宮博物院。

秋瓜圖

元

錢選（傳）

高63.1、寬30厘米。

紙本，設色。

現藏臺北故宮博物院。

鄭思肖（公元1241－1318，一作1239–1316年）

宋末元初畫家。連江（今屬福建）人。字憶翁，號所南，又號三外野人。宋亡後，隱居平江（今江蘇蘇州）。擅畫墨蘭，花葉簡疏，根不著土，寓宋淪亡之意。又工墨竹。

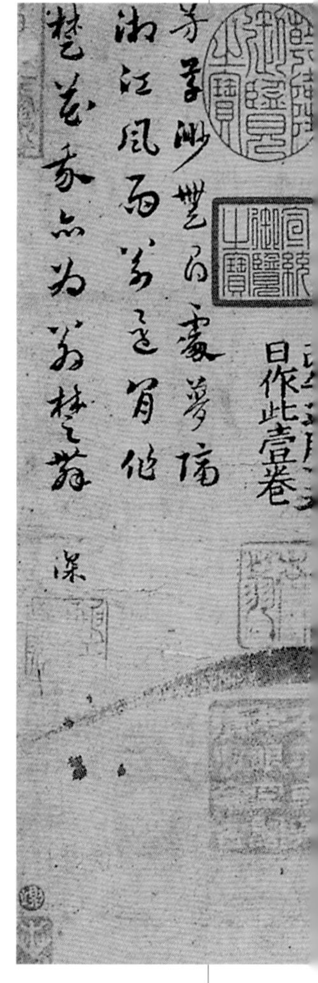

墨蘭圖

元

鄭思肖

高25.7、寬42.4厘米。

紙本，水墨。

現藏日本大阪市立美術館。

劉貫道

元代畫家。中山（今河北定州）人。字仲賢。至元十六年（公元1279年）寫《裕宗像》，得補御衣局使。工釋道人物畫，集前人之長，爲一時高手。鳥獸、花竹、山水亦佳。

消夏圖

元

劉貫道

高29.3、寬71.2厘米。

絹本，水墨淡設色。

現藏美國堪薩斯納爾遜－艾金斯美術館。

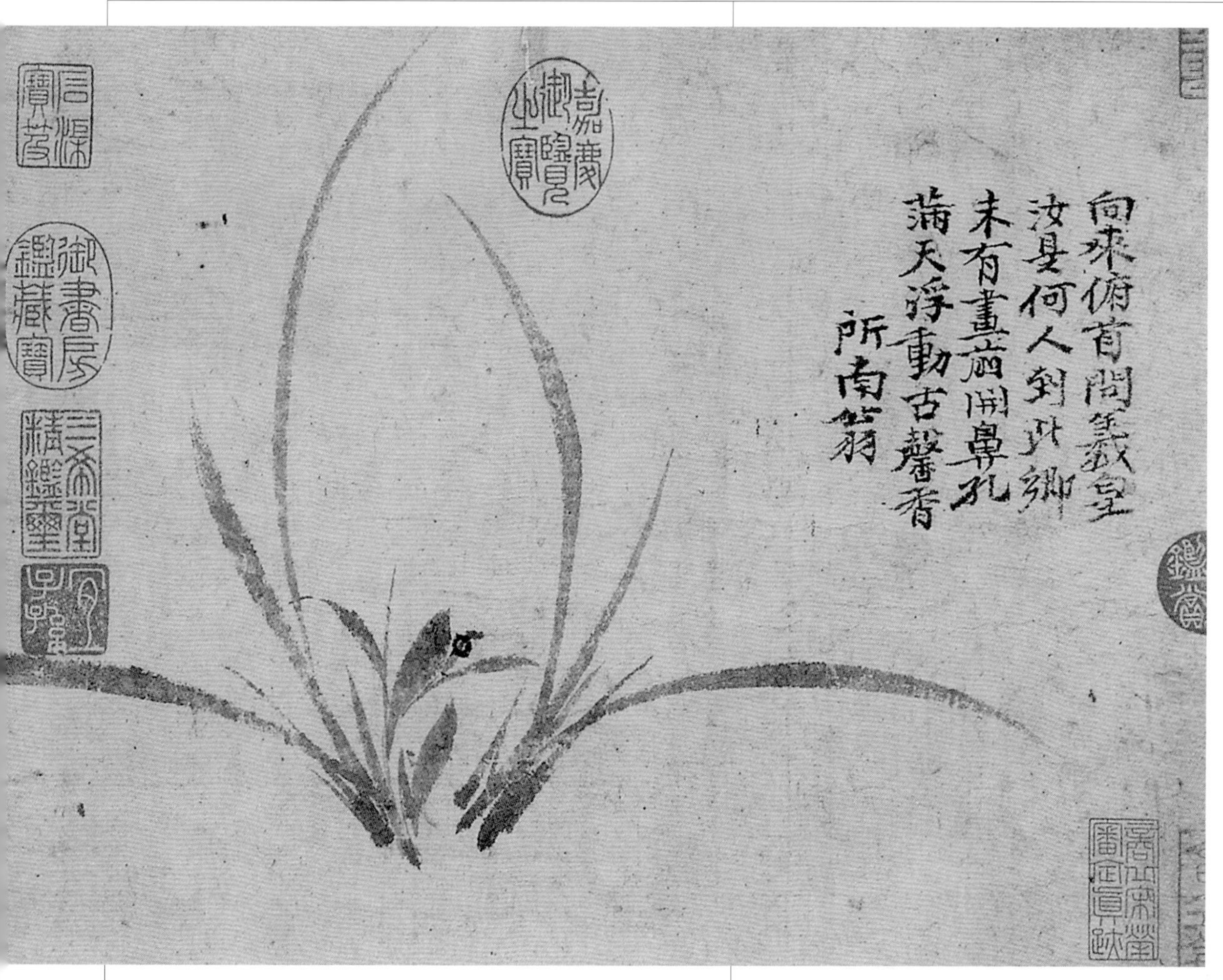
向來俯首問羲皇
汝是何人到此鄉
未有畫前開鼻孔
滿天浮動古馨香
所南翁

元世祖出獵圖（局部）

元
劉貫道
全圖高104.1、寬182.9厘米。
絹本，設色。
現藏臺北故宮博物院。

李　衎（公元1245－1320年）

元代畫家。大都（今北京）人。字仲賓，號息齋道人。歷任江浙行省平章政事、吏部尚書，拜集賢殿大學士。專工竹石，尤擅畫墨竹，間作鈎勒青緑設色竹。著有《竹譜詳録》行世。

紆竹圖

元

李衎

高138.5、寬79厘米。

絹本，設色。

現藏廣東省廣州美術館。

修篁樹石圖

元

李衎

高151.5、寬100厘米。

絹本，設色。

現藏南京博物院。

竹石圖

元

李衎

高185.5、寬153.7厘米。

絹本，設色。

現藏故宮博物院。

雙松圖

元
李衎
高156.7、寬91.2厘米。
絹本，水墨。
現藏臺北故宮博物院。

雙勾竹石圖

元
李衎
高163.5、寬102.5厘米。
絹本，設色。
現藏故宮博物院。

高克恭（公元1248－1310年）

元代畫家。大都（今北京）人。祖籍西域（今新疆一帶）。字彥敬，號房山。官至大中大夫、刑部尚書。畫山水初學“二米”，後取董源、巨然和李成之長，自創一家。亦善畫墨竹。

雲横秀嶺圖

元
高克恭
高182.3、寬106.7厘米。
絹本，設色。
現藏臺北故宫博物院。

春山欲雨圖

元
高克恭
高100.5、寬106.8厘米。
絹本，水墨淡設色。
現藏上海博物館。

秋山暮靄圖

元
高克恭
高49.5、寬84厘米。
絹本，設色。此卷殘損較大，畫面部分景物缺損。
現藏故宮博物院。

春雲曉靄圖

元

高克恭

高138.1、寬58.5厘米。

紙本，設色。

現藏故宮博物院。

竹石圖

元

高克恭

高121.6、寬42.1厘米。

紙本，水墨。

現藏故宮博物院。

羅稚川

元代畫家。臨川（今江西撫州）人。活動于元代前期。精鑒賞，擅山水。

古木寒鴉圖

元

羅稚川

高131.6、寬80厘米。

絹本，水墨。

現藏美國紐約大都會博物館。

張遜

元代畫家。平江（今江蘇蘇州）人。字仲敏，號溪雲，因多鬚，人稱“髯張”。工詩善畫，尤擅畫竹，用雙鈎法寫之，妙絶一時。亦能山水。

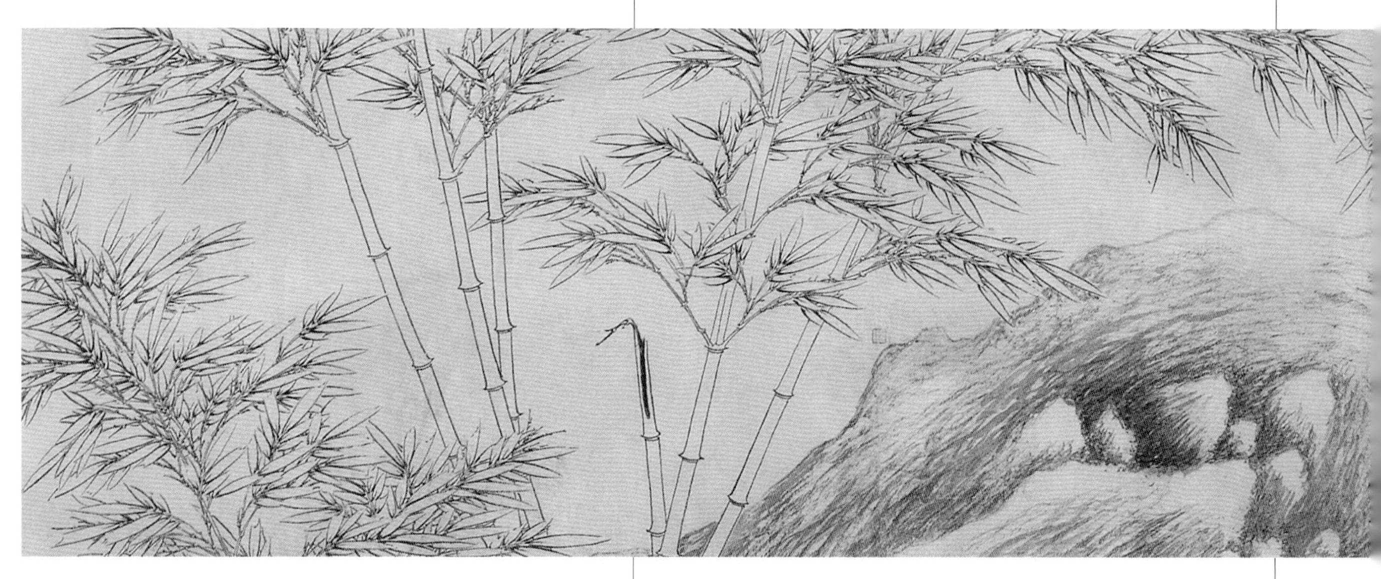

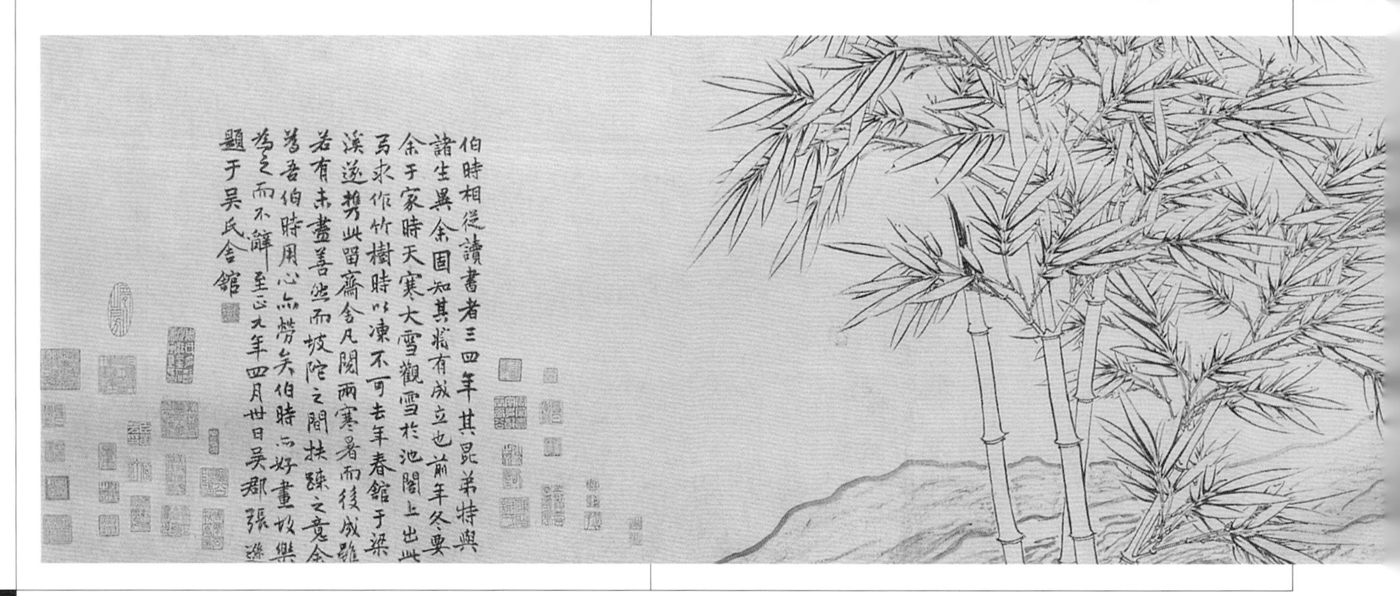

雙勾竹及松石圖

元

張遜

高43.4、寬668厘米。

紙本，水墨。

現藏故宮博物院。

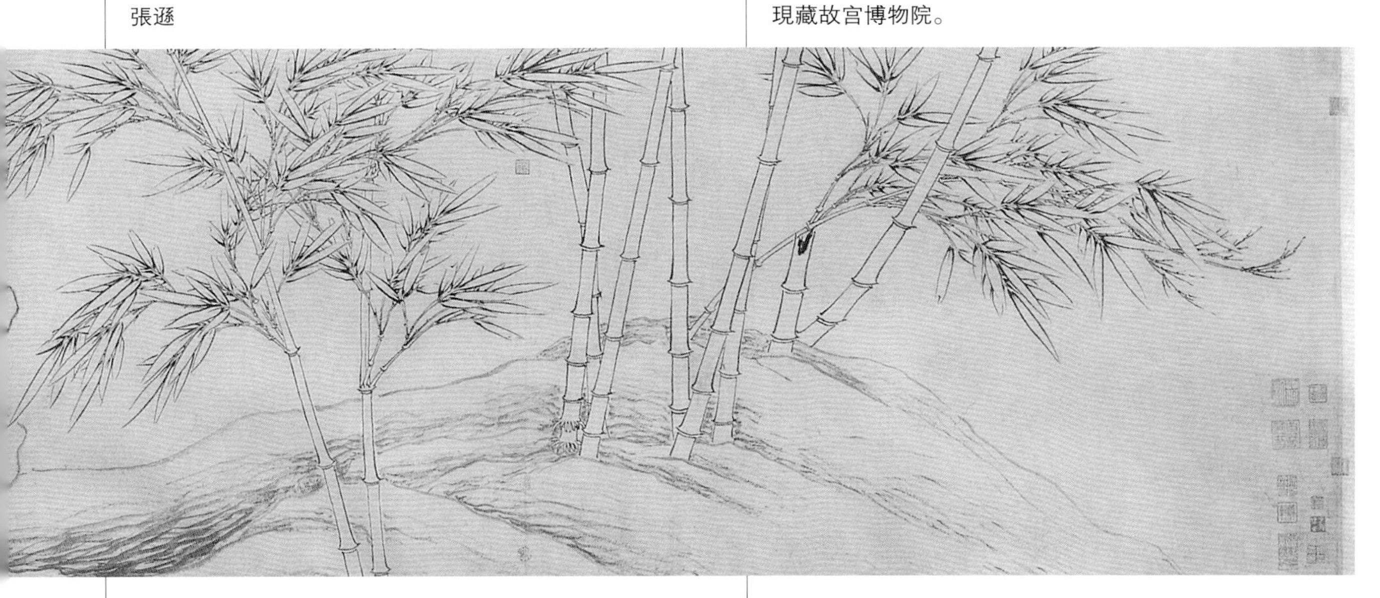

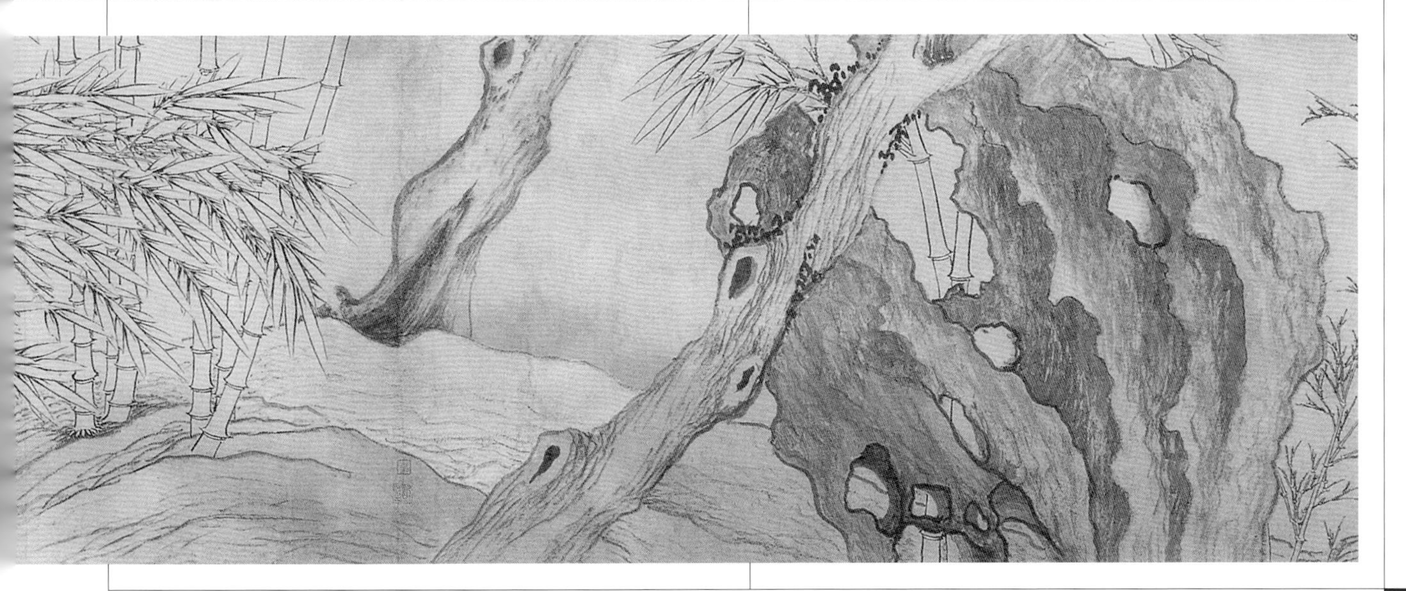

趙孟頫（公元1254－1322年）

元代書畫家。湖州（今屬浙江）人。字子昂，號松雪道人等。宋宗室。入元，官刑部主事，官至翰林學士承旨，封魏國公。擅書法，諸體皆精。其繪畫山水、人物、鞍馬皆精，山水畫取法董源、李成；人物、鞍馬師法李公麟和唐人。亦工墨竹、花鳥。在理論上主張“貴有古意”，實爲托古改制，一改南宋李唐派系的畫風，開創了元代新畫風，引導了元代文人畫的發展，并對後世產生了極大的影響。

鵲華秋色圖

元

趙孟頫

高29、寬93.2厘米。

紙本，設色。

現藏臺北故宮博物院。

人騎圖

元

趙孟頫

高30、寬52厘米。

紙本，設色。

現藏故宮博物院。

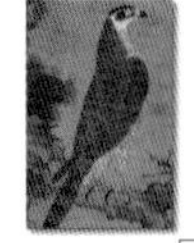

調良圖

元

趙孟頫

高23.8、寬49厘米。

紙本，水墨。

現藏臺北故宮博物院。

蘇東坡像

元

趙孟頫

高27.2、寬11.1厘米。

紙本，水墨。此圖爲趙書《赤壁賦》之卷首畫。

現藏臺北故宮博物院。

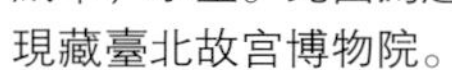

蘭竹石圖

元

趙孟頫

高25.2、寬98.2厘米。

紙本，水墨。

現藏上海博物館。

水村圖

元

趙孟頫

高24.9、寬120.5厘米。

紙本，設色。

現藏故宮博物院。

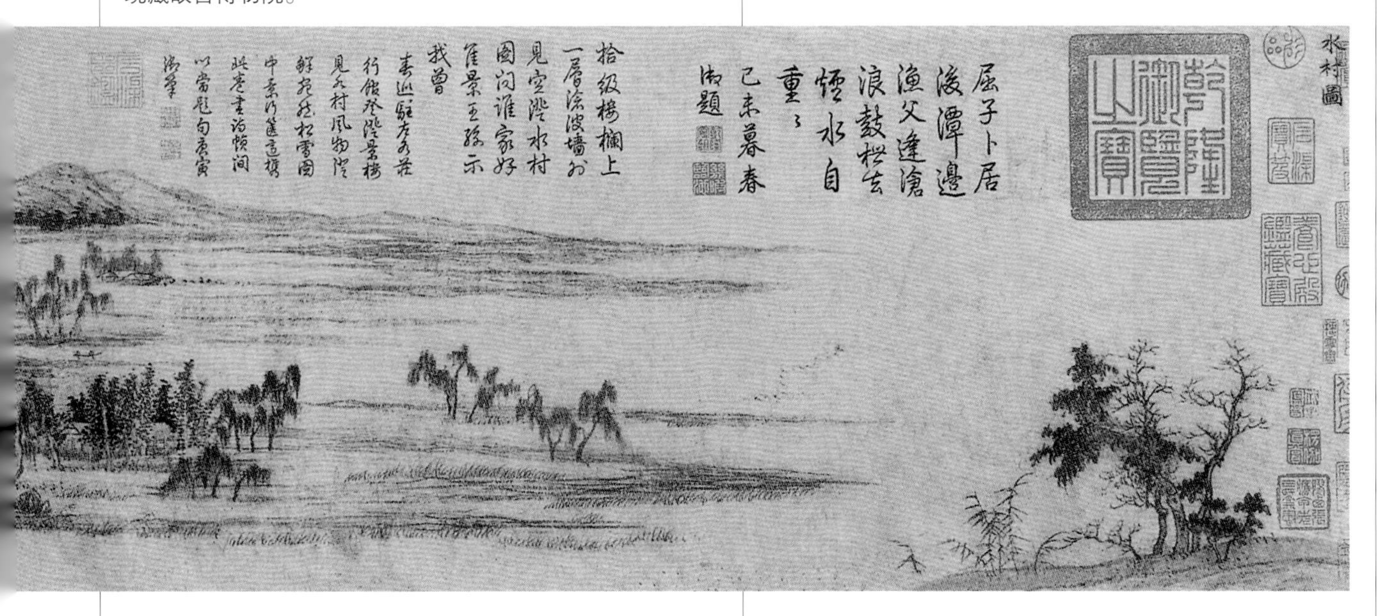

紅衣天竺僧

元
趙孟頫
高26、寬52厘米。
紙本，設色。
現藏遼寧省博物館。

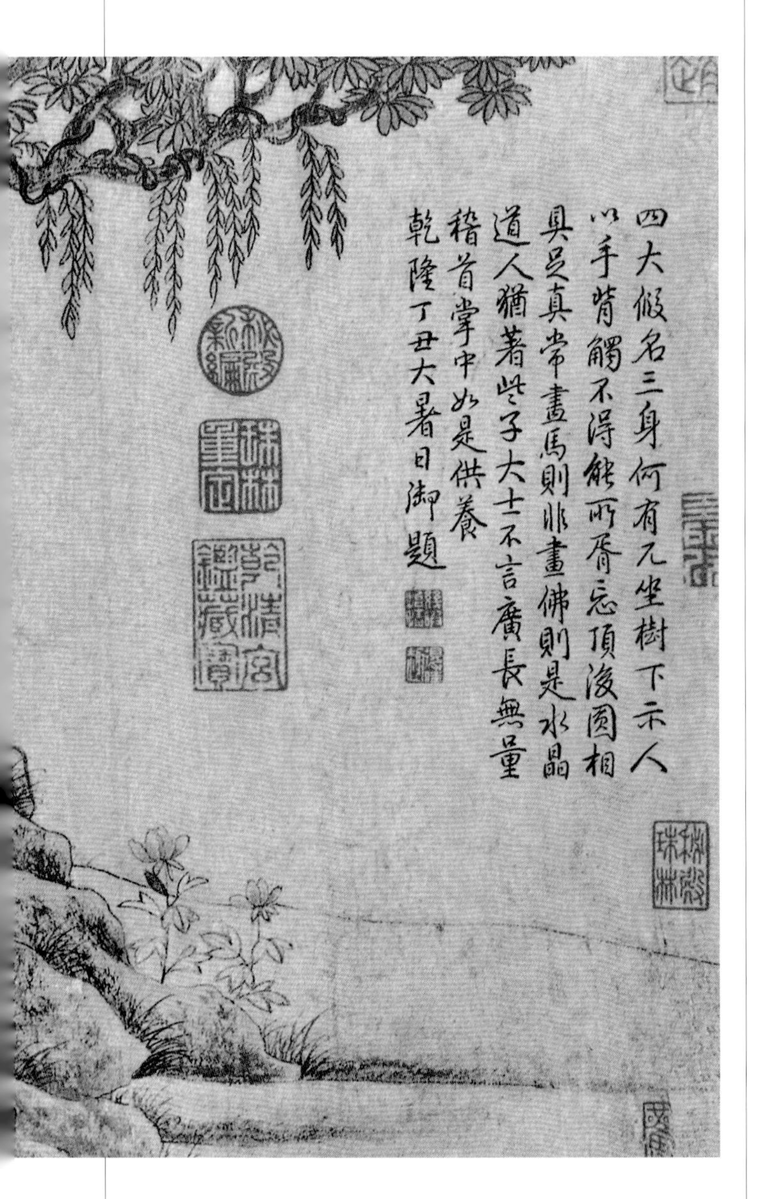

洞庭東山圖

元

趙孟頫

高61.9、寬27.6厘米。

絹本，設色。

現藏上海博物館。

秋郊飲馬圖

元
趙孟頫
高23.6、寬59厘米。
絹本，設色。
現藏故宮博物院。

雙松平遠圖

元
趙孟頫
高26.7、寬107.3厘米。
紙本，水墨。
現藏美國紐約大都會博物館。

秋郊飲馬圖

子昂戲作
雙松平遠

浴馬圖

元

趙孟頫

高28.1、寬155.5厘米。

絹本，設色。

現藏故宮博物院。

窠木竹石圖

元

趙孟頫

高99.4、寬48.2厘米。

絹本，水墨。

現藏臺北故宮博物院。

古木竹石圖

元

趙孟頫

高108.2、寬48.8厘米。

絹本，水墨。

現藏故宮博物院。

幽篁戴勝圖

元
趙孟頫
高25.4、寬36.1厘米。
絹本，設色。
現藏故宮博物院。

二羊圖

元
趙孟頫
高25.2、寬48.4厘米。
紙本，水墨。
現藏美國華盛頓弗利爾美術館。

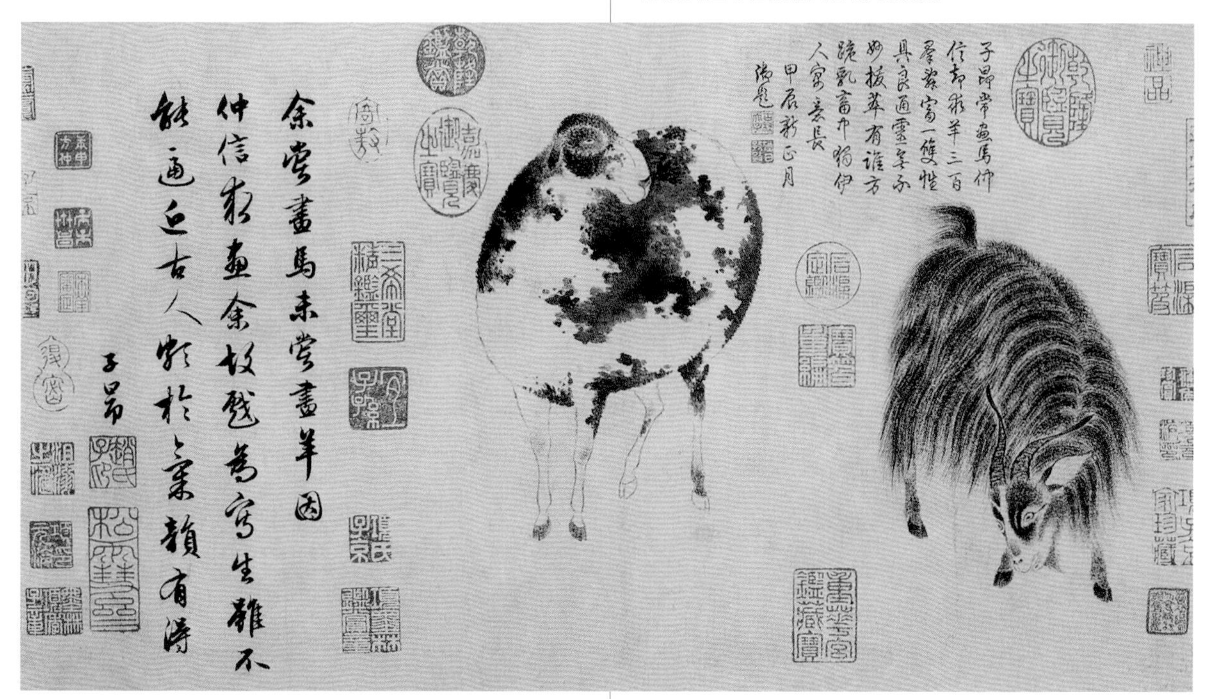

任仁發（公元1254－1327年）

元代畫家。松江（今上海）人。字子明，號月山道人。官至都水少監、浙東道宣慰副使，爲元代著名水利家。善畫花鳥、人物，尤精畫馬。自稱學韓幹。

張果見明皇圖

元

任仁發

高41.6、寬107.3厘米。

絹本，設色。

現藏故宮博物院。

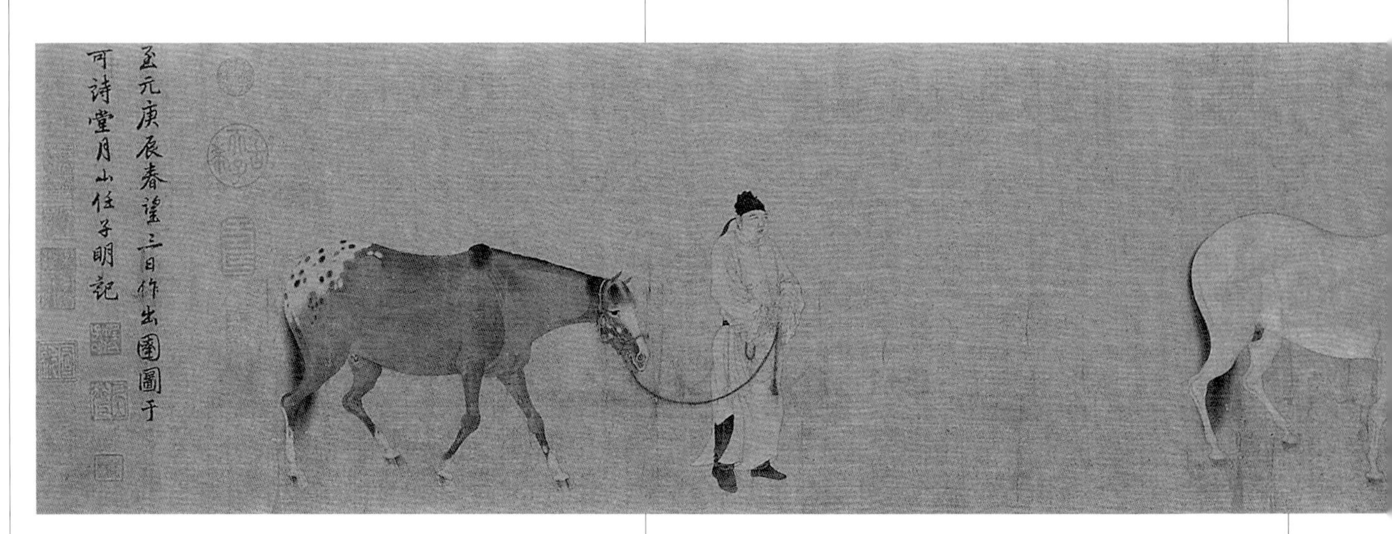

出圉圖

元

任仁發

高34.2、寬201.9厘米。

絹本，設色。

現藏故宮博物院。

二馬圖

元

任仁發

高28.8、寬143.7厘米。

絹本，設色。

現藏故宮博物院。

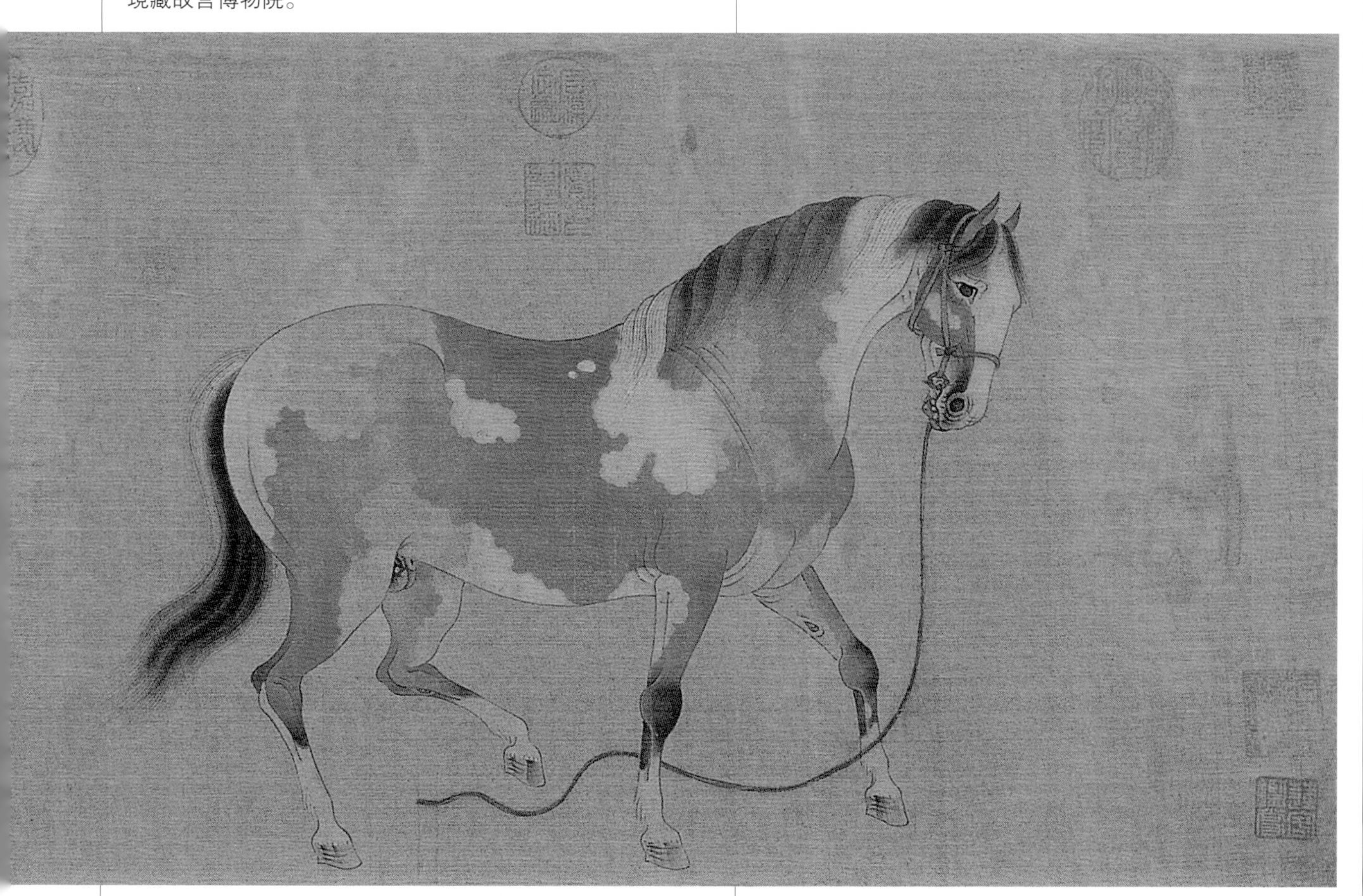

秋水鳧鷖圖

元
任仁發
高114.3、寬57.2厘米。
絹本，設色。
現藏上海博物館。

顏 輝

元代畫家。廬陵（今江西吉安）人，一作江山（今屬浙江）人。字秋月。工書善畫，長于道釋人物，造型奇特。成宗大德年間（公元1297-1307年）畫輔順宮壁畫。

山水圖

元
顏輝
高136、寬127厘米。
絹本，設色。
現藏河南省開封市博物館。

劉海蟾鐵拐像（對軸）

元

顔輝

各高191、寬79.8厘米。

絹本，設色。

現藏日本京都知恩寺。

李仙像

元
顏輝
高146.5、寬72.5厘米。
絹本，設色。
現藏故宫博物院。

猿圖

元
顏輝
高131.8、寬67厘米。
絹本，設色。
現藏故宫博物院。